Rajeunir par la Technique Nadeau

Méthode de régénérescence

Rajeunir par la Technique Nadeau

Méthode de régénérescence

Photos: Maurice Philippon

Illustrations: Diane Lasnier et Gilles Cyr, Le Graphicien Inc.

Maquette de la couverture: Gilles Cyr le Graphicien Inc.

Typographie et mise en pages:
Imprimerie Dumont

LES ÉDITIONS QUEBECOR
Une division de Groupe Quebecor Inc.
225, rue Roy est
Montréal, H2W 2N6
Tél.: (514) 282-9600

Dépôts légaux, 4e trimestre 1984

Bibliothèque nationale du Québec
Bibliothèque nationale du Canada
ISBN 2-89089-309-X

Mot de l'auteur

Le corps traduit dans son langage l'histoire des années passées. Celui qui n'a pas eu le souci de se maintenir en forme, est voué à la dégénérescence, à la maladie.

Lorsque nos organes sont en mauvaise condition, ils se fatiguent, s'encrassent et se détériorent. Il faut éviter de croire que l'organisme est une sorte de machine dont on peut librement remplacer la pièce déficiente ou usée.

On oublie cependant que le meilleur des réparateurs se trouve en soi et que le corps se régénère si on lui en laisse la chance. Lorsque par un exercice approprié les tissus sont mieux nourris, ils sont moins exposés à l'usure, ils deviennent moins vulnérables. La maladie qui se déclare généralement aux points de moindre résistance, ne trouve plus de terrain propice où s'installer.

Il faut aider le corps à remplir son rôle d'autoguérisseur. Il est du ressort de chacun d'apprendre, par une discipline personnelle à devenir l'artisan de sa santé.

Vous aimeriez savoir quoi faire ? Comment faire pour améliorer votre qualité de vie ? C'est pour répondre à ces questions que je vous propose ce livre.

Colette Maher

Initiatrice de la Technique Nadeau

Table des matières

Ce livre est dédié aux cardiaques
et à ceux qui ont le souci
de prolonger leur jeunesse.

PRÉFACE

Avoir la forme physique, c'est important! Certains diront que garder son corps en forme permet de vivre mieux, plus longtemps. Mais à regarder autour de moi, dans la rue, dans les magasins, dans les écoles, dans les parcs, je constate à chaque jour que l'homme moderne n'a pas compris ou bien il fait la sourde oreille! Il existe une épidémie qui se nomme « inactivité physique ». Elle est présente partout, dans toutes les couches de la société et se retrouve tant chez les vieux que chez les jeunes.

Mais que faire pour enrayer ce fléau? À grands coups de campagnes publicitaires, on nous exhorte à bouger, à faire quelque chose, et ce, régulièrement. En analysant les critères relatifs à une activité physique qui soit bénéfique pour la santé d'un individu, on arrive généralement à la conclusion suivante: « Elle doit être d'intensité modérée. Elle doit se poursuivre au moins pendant 12 minutes consécutives. Elle doit être répétée au moins trois fois par semaine. »

Beaucoup de personnes connaissent ce principe. Mais si on consulte les statistiques officielles, on se rend compte qu'une minorité de notre population est effectivement engagée régulièrement dans une activité de ce genre. De multiples raisons peuvent être évoquées pour expliquer ce phénomène. Que ce soit le manque de volonté, de temps ou d'argent, il est toujours facile de se trouver une excuse. On constate donc que peu de gens ont le courage et la volonté d'entreprendre de façon régulière une activité physique.

Étant moi-même un adepte du sport et de l'activité physique et, en plus, un professionnel de la santé, plusieurs questions me revenaient fréquemment à l'esprit: comment trouver quelque chose qui combinerait à la fois les principes de l'exercice physique et le respect du corps humain, sans être traumatisant dans sa forme?

Qu'est-ce qui assurerait une mise en train globale du corps tout en demeurant accessible à tout le monde, en fait, universel? Enfin, quel type d'exercice permettrait d'activer son corps, de le mettre en mouvement de manière harmonieuse, symétrique, globale, de façon douce et progressive, pour atteindre un niveau d'activité continue satisfaisant? Qu'est-ce qui nous permettrait de nous libérer de nos tensions musculaires, de nos blocages articulaires responsables de toutes nos raideurs, mais tout en étant simple, facile et applicable à tous et chacun, quel que soit son âge?

Je crois sincèrement que la Technique Nadeau constitue un sytème qui rejoint et dépasse même tous les principes et les critères mentionnés plus haut.

Dans ma vie professionnelle, je ne cesse de répéter aux gens de mettre leur corps en mouvement, de bouger, de sortir de leur carapace de sédentaire et ce, pour leur propre survie.

Avec les exercices Nadeau, les gens ont maintenant un moyen d'y arriver et même de dépasser les objectifs généralement acceptés. Pas besoin d'équipement spécialisé. Seulement de la bonne volonté. Car en réveillant son corps, en le mettant au travail à la manière de M. Nadeau, on retrouve une aisance et une souplesse dont on ne se souvient guère. Notre potentiel de vie peut s'exprimer plus facilement car notre corps se défait peu à peu de ses entraves, de ses tensions, de ses ankyloses. Tout cela, les exercices Nadeau vous l'offrent.

Ce nouveau concept mis de l'avant par ce vieux jeune homme rejoint mes convictions profondes en tant que chiropraticien et diplômé universitaire en physiothérapie. Ce type d'exercices permet donc à chaque articulation du corps humain de s'activer en souplesse. De plus, l'impact sur la colonne vertébrale et sur le système nerveux est immense. Par la mobilisation progressive qu'elle entraîne, dans toutes les directions, elle permet au système neuro-musculo-squelettique de fonctionner de manière plus efficace et d'améliorer ainsi votre santé et votre bien-être.

Je recommande fortement les exercices Nadeau à tous ceux et celles qui ont le goût de libérer leur corps, de lui redonner ce à quoi il a droit, soit la liberté dans ses mouvements!

Que ce livre soit pour vous un cheminement vers la joie de vivre!

André Marie Gonthier DC

Dr André-Marie Gonthier, b.Sc., D.C.
Diplômé universitaire en physiothérapie (1977)
Docteur en chiropratique

INTRODUCTION

Le désir de ne jamais vieillir a toujours été cher au coeur des hommes et des femmes. Au cours des siècles, on n'a pas réussi à découvrir la légendaire Fontaine de Jouvence qui redonnerait immédiatement sa jeunesse à quiconque boirait son eau.

Cependant, certains individus ont accès à une Fontaine de Jouvence bien à eux. On rencontre ou on entend parler d'êtres exceptionnels qui ont conservé une énergie débordante tout au long de leur existence. Leur grand secret est souvent l'exercice physique. Quand le corps est entraîné, la circulation sanguine s'améliore, les tissus sont mieux nourris. Nous ne pouvons rien imaginer de plus important pour notre santé qu'une bonne circulation du sang. Elle apporte à chacune des cellules, à tout instant, des éléments de remplacement nécessaires à leur survie.

Notre sang, comme nous le savons, se purifie à chaque respiration. Nous respirons au-delà de mille fois par heure! L'exercice physique intensifie l'apport d'oxygène aux poumons et accélère ainsi le processus de régénérescence. Qu'est-ce que ceci représente sinon un rajeunissement?

Si nous voulons profiter longtemps de notre jeunesse, il faut oublier notre âge et penser à la vie, non au vieillissement. Nous restons jeunes en ce sens que notre corps physique se renouvelle continuellement. À chaque instant des cellules naissent et existent pour la toute première fois.

Par une activité physique bien dosée et pratiquée régulièrement, les cellules atteignent leur plein potentiel de vie et ne meurent pas prématurément. On peut donc affirmer qu'un exercice physique équilibré, telle la Technique Nadeau, permet véritablement de RAJEUNIR!

À y regarder de près, n'est-ce pas passionnant?

CHAPITRE I

Histoire d'une guérison

La vie nous conduit là où elle veut. À notre insu, elle nous trace un chemin. On a parfois l'impression que c'est par hasard que nous rencontrons un inconnu sur notre route, il n'en est rien. À quelque endroit qu'on se trouve, on a un rôle à jouer. La venue de Henri Nadeau à mon Centre de yoga fut une révélation pour moi et pour mes élèves.

Qui est ce monsieur Nadeau? Un Québécois originaire de la Beauce qui, dès son jeune âge, fut confronté aux dures réalités de la vie. Sa mère fut emportée par la tuberculose à l'âge de 24 ans, et il dut vivre à l'orphelinat pendant sept années. Là, le menu quotidien était composé de pommes de terre, de sauce blanche, de gruau et, pour dessert, une cuillerée à thé de mélasse. C'était une nourriture incomplète pour un jeune garçon en pleine croissance. Ses années de pensionnat furent ardues, mais lui forgèrent une volonté de fer.

Monsieur Nadeau garde un bon souvenir de son enfance: il n'était pas plus choyé mais pas plus malheureux que les autres. Plus tard, il étudia l'agronomie. L'embauche dans ce domaine étant rare durant la crise, il est venu à Montréal où il a oeuvré comme machiniste pendant seize ans à la Canadian Marconi. Par la suite, il est devenu propriétaire d'une usine de produits chimiques.

C'est là que ses problèmes de santé ont débuté. Était-ce le stress? Effectivement, M. Nadeau « brûlait la chandelle par les deux bouts ». Un matin d'avril, se rendant à son travail, il se mit à étouffer, à chercher de l'air... Les suites furent désastreuses: ambulance, hôpital, thrombose, infarctus, demi-paralysie du bras gauche, trous de mémoire, voix éteinte, démarche hésitante. Il est demeuré douze jours aux soins intensifs. De retour à la maison, tout lui était interdit: défense de monter les escaliers, défense de manger ceci et cela, défense de fumer. Un vrai « petit vieux » avant même la soixantaine! De plus, il devait absorber 21 pilules par jour, soit au-delà de 600 par mois (pour dilater, calmer, etc.), en plus des « nitros » qu'il tenait à sa portée en tout temps. On lui conseilla une intervention chirurgicale, mais monsieur Nadeau refusa. Il lui restait deux choix: ou il vivait dans l'abstention et la crainte, les pieds continuellement dans les pantoufles, ou il réagissait. Il a opté pour cette dernière solution.

Quelques mois après sa crise cardiaque, monsieur Nadeau se rendait lentement à la bibliothèque de son quartier pour y dévorer tous les bouquins sur les troubles cardiaques. Aucun ne semblait répondre à ses attentes. Il se mit à étudier la biologie, la cellule humaine et les principes fondamentaux de la vie. Il en conclut que l'exercice et l'oxygénation lui redonneraient des cellules saines et le maintiendraient jeune et en santé. Il rêve de trouver un système d'exercices « miracle » qui l'aiderait à obtenir le changement souhaité. Monsieur Nadeau est un grand intuitif et un jour la réponse lui fut offerte. Ce fut le début d'une seconde naissance, il commença à vivre à 60 ans.

Que serait-il devenu si, pendant les dix années qui suivirent sa maladie, il s'était avoué vaincu, s'il avait continué à ingurgiter ses 21 pilules par jour (ce qui totalise au-delà de 75 000 pilules en 10 ans), s'il avait attendu patiemment, sans trop d'effort, la suite des événements? Ne pouvant plus conduire, il avait donné son automobile, la vie ne l'intéressait plus. Il y avait cependant une force à l'intérieur de lui-même qui refusait de s'éteindre. Un jour, il l'a sentie grandir et l'envahir comme un souffle chaud. Dès cet instant, il sut que tout devenait possible pour lui. Après être descendu si bas sur l'échelle de la santé, il en a gravi les plus hauts échelons. Cela exigeait une patience, un courage et une confiance inébranlables.

Dorénavant, monsieur Nadeau ne connut qu'une seule philosophie: un bon moral à 80% et 20% d'exercices. Il ne faut pas se leurrer, il dut y mettre des efforts. On n'a rien pour rien, et la récompense est d'autant plus grande qu'on l'a méritée.

Être le premier à tracer un chemin comporte un risque d'erreur, mais poursuivre sa route et découvrir des horizons nouveaux recèlent une joie indescriptible. Au premier jour de son entraînement, monsieur Nadeau tenta une minute d'exercice, il crut en mourir, c'était trop forçant pour son coeur. Il n'a pas abandonné pour autant. Le lendemain, il fit 15 secondes d'exercice et, chaque jour, répétant fidèlement les mêmes gestes, il parvint graduellement à accomplir 20 minutes d'exercices intensifs. Cela lui coûta neuf mois d'entraînement. Ce fut un véritable accouchement, une nouvelle naissance. Il y a de cela dix ans.

Vous qui lisez ces lignes, qui avez peur de vieillir, vous qui n'avez plus la santé et avez délaissé tout effort pour la recouvrer, vous qui vous empiffrez de médicaments, vous qui passez de longues heures à vous déprimer ou à regarder la télé, vous qui subissez le stress de la vie et ne pouvez vous délivrer de son engrenage, quel avenir vous préparez-vous? Y avez-vous réfléchi sérieusement? Un ancien proverbe dit: « Celui dont la pensée ne va pas loin, verra les ennuis de près. »

Monsieur Nadeau est passé du stade de victime des circonstances à celui de créateur des circonstances. Vous pouvez faire de même. Plusieurs de ses amis ont mis en pratique sa technique. L'un d'eux était couvert d'eczéma suintant, souffrait d'emphysème pulmonaire, évacuait par un sac rattaché au côlon. Son état était lamentable. Après un an de pratique, on enleva son sac. Trois ans plus tard, son eczéma avait disparu et il se faisait dorer au soleil en bikini. Sa respiration s'était améliorée au point où il pouvait se mêler aux foules du centre-ville. Un autre ami de monsieur Nadeau, un judoka de 68 ans, ceinture noire 5e dam, avait subi deux infarctus. Au deuxième, il fut déclaré cliniquement mort pendant 29 secondes. Il a pratiqué les exercices pendant 4 ans. Aujourd'hui il est dans une forme splendide, il est bon danseur et ne rate pas une occasion de faire valoir son talent.

Mais comment reconnaît-on un individu en bonne forme physique? C'est d'abord quelqu'un qui possède un bon coeur, de bons poumons et de bons vaisseaux sanguins. Il ne s'essouffle pas au moindre effort, il possède un bon degré d'endurance et d'immunité. Il est doté d'un excellent système nerveux et tous les organes de son corps fonctionnent à leur plein rendement sans l'usage de médicaments. Le corps est un merveilleux véhicule mais nombre de gens prennent davantage soin de leur automobile que de leur corps. Rien n'est trop beau lorsqu'ils acquièrent une nouvelle voiture, même le stress de devoir « rencontrer des paiements » n'entre pas en ligne de compte. Mais pendant ce temps, « l'autre véhicule », le vrai, l'unique, s'use prématurément. Il est plus facile de changer un moteur que de remplacer un coeur. À chacun de choisir lequel est le plus digne d'attention.

Existe-t-il des faux malades du coeur? Voici ce qu'en dit le docteur Aldo Saponaro: « Si les véritables malades cardiaques sont aujourd'hui très nombreux, les faux malades du coeur, eux, sont légion. Parmi les anxieux qui craignent d'être la proie de mille maladies, la majorité est constituée de gens qui, bien qu'ayant un coeur absolument normal, sont tourmentés par la peur injustifiée de le voir frappé d'une anomalie. Le symptôme qui « alerte » le plus fréquemment est représenté par la palpitation qui consiste en la perception de ses propres battements de coeur. Les pulsations, tantôt bien rythmées, tantôt rapides ou lentes, tantôt irrégulières, sont éprouvées comme des chocs tumultueux dans le thorax et associées à un sentiment d'ennui, de malaise ou d'angoisse. Une perception douloureuse et violente peut aussi se diffuser dans la région du coeur, aux tempes, à la gorge, aux poignets, au cou, à l'épigastre et à l'abdomen: dans ce cas, on parle plus précisément de palpitations artérielles. D'autres symptômes peuvent faire croire aux gens qu'ils sont des malades du coeur mais ils ne le sont pas: ils ne sont que des sujets appréhensifs, anxieux, instables du point de vue émotif, chez lesquels le système neuro-végétatif bouleverse par son déséquilibre le rythme cardiaque en l'accélérant ou en l'altérant, ainsi que le tonus des artères, en les compressant ou en les dilatant. La peur d'être malade du coeur devient en elle-même une maladie insidieuse. La tâche de distinguer les vraies maladies de coeur des fausses incombe au médecin. Le « faux malade » du coeur, bien que n'étant pas un cardiaque, est cependant un malade des nerfs, un anxieux.

Lorsque nous donnons libre cours à nos émotions négatives: peur, inquiétude, jalousie, colère, etc., une énorme quantité d'énergie est utilisée et n'est plus disponible pour le bon fonctionnement de l'organisme. Infailliblement, le corps en subira des conséquences morbides. Par exemple, la colère fait contracter les vaisseaux. Le sang se congestionne dans les organes, produit de l'engorgement, s'épaissit et ne peut plus traverser aussi librement les tissus pour aller nourrir les cellules, ceci étant une condition essentielle à une santé parfaite. La colère use le coeur en l'obligeant à travailler plus fort pour faire circuler le sang. Tandis que la détente et le calme intérieur en permettent la libre circulation.

Il faut être pleinement conscient que 80% de nos maladies sont d'origine psychosomatique (influence réciproque de l'esprit et du corps). Ces maladies sont causées par des facteurs psychiques, c'est-à-dire par des états émotifs négatifs (dépression mentale, tension nerveuse, préoccupations excessives, inquiétude, frustrations). C'est donc dire que si l'on parvient à contrôler sa pensée et ses émotions, on peut guérir 80% de ses maladies. Comment se fait-il que tant de gens soient malades? Faut-il en conclure que peu d'entre nous sont vraiment conscients de cette réalité?

Il est juste de constater que la vie moderne nous a coupé de notre vraie nature et nous fait subir un stress quotidien. Il faut donc contourner cette situation pernicieuse et réapprendre la vie elle-même; respirer, dormir, s'alimenter, bouger, apaiser ses émotions, aimer sainement et savoir se relaxer.

Ce livre a pour but de vous faire connaître une technique de régénérescence NOUVELLE, UNIQUE, d'une valeur INESTIMABLE et de vous faire découvrir toutes vos richesses intérieures. Voici ce que dit monsieur Nadeau: « Une seule personne à qui vous avez rendu le sourire et la joie de vivre en santé vaut plus que toutes les fortunes du monde entier. »

CHAPITRE II

Principes de régénérescence

« Tu n'es que chair
Et tu vivras 120 ans ».
La Genèse

Voici les données transmises par monsieur Nadeau et qui constituent le fondement de ses recherches et de sa pensée.

L'oxygène, principe de vie

Qu'un sang pauvre en oxygène circule dans nos artères et la vitalité de chacune de nos cellules s'en trouve amoindrie. Le grand « détergent » de l'organisme, c'est l'oxygène. La santé consiste en l'oxygénation des tissus profonds, d'où l'importance de pratiquer des exercices impliquant tout le corps.

Le corps n'est composé que de deux groupes de cellules

1. La cellule nerveuse (neurone).

   Elle a une vie approximative de 120 ans. Par contre, s'il y a un accident de parcours, elle ne se renouvelle pas.

2. La cellule énergétique.

Celle-ci se renouvelle éternellement. Sur environ huit mille milliards de cellules énergétiques qui composent le corps, environ cinquante millions meurent tous les jours et sont remplacées par de jeunes cellules qui refont le même travail. Certaines cellules ont une durée de vie de 5-10-30 et même de 100 jours. On prétend que les cellules de l'estomac ont une vie normale de dix jours. Si vous souffrez d'ulcères d'estomac et que vous en supprimiez la cause, la guérison devrait être complète après dix jours.

Donc, si la cellule énergétique se renouvelle, elle ne peut vieillir. Alors, quelles sont les causes du vieillissement prématuré? Le vieillissement et la maladie sont une conséquence directe de l'encrassement lent et progressif de l'organisme dû à l'évacuation incomplète des déchets et au manque d'oxygénation des tissus cellulaires.

Prenons comme exemple une cellule qui a une vie normale de 100 jours. Plus elle est intoxiquée, moins elle peut s'oxygéner et plus courte est sa durée de vie. Au lieu d'une durée de vie de 100 jours, elle va mourir à 90-75-50-25 jours et atteindre une mort prématurée. C'est le commencement de la vieillesse et de la maladie!

Si vous renversez la vapeur et que vous preniez la même cellule qui n'a plus que 50 jours de vie, que vous la désintoxiquiez et l'oxygéniez tous les jours par un exercice intensif mais de courte durée (maximum 20 minutes), elle va se régénérer et revenir à sa durée de vie normale de 100 jours. C'est ça la seconde jeunesse ou la régénérescence.

On ne vieillit pas, on se laisse vieillir. Vingt minutes de volonté par jour (remplies d'exercices intensifs) équivalent à la différence entre la santé et la maladie et entre une jeunesse perpétuelle ou une vieillesse prématurée.

« PH de santé »

Le PH de santé s'apparente au PH neutre, c'est-à-dire à 6,8. Plus vos cellules sont intoxiquées, plus votre sang est acide (impur) et plus vous vous éloignez du PH neutre (santé). Le PH acide d'un cancéreux peut descendre jusqu'à 6,1. La cellule ne peut vivre dans un milieu acide.

Attitude face aux exercices

Quelqu'un d'inactif qui prend conscience de son état malsain se met parfois en tête de « rattraper le temps perdu ». Il met alors les « bouchées doubles » et aboutit souvent à l'épuisement du peu de réserves énergétiques qu'il lui reste. Donc, si vous n'êtes pas entraîné à l'exercice ou si vous avez des problèmes de santé, allez-y doucement. Ne cherchez pas à battre des records. Ce n'est qu'après une année, poursuit monsieur Nadeau, que j'ai réussi à répéter 1200 fois les trois mouvements que j'ai conçus. Ceux-ci mettent à l'épreuve tous les muscles du corps et les contractions qu'ils imposent aux fibres ne sont jamais violentes. Cependant, lorsque le corps le permet, le mouvement doit être exécuté avec un effort soutenu. La loi de la nature est la loi de l'effort; la loi de la civilisation moderne est celle du moindre effort. Nul doute que l'être humain soit déséquilibré.

D'après des tests effectués au département d'éducation physique de l'Université de Montréal, il faut compter trois ans pour rebâtir un corps. Après environ six mois d'entraînement avec les exercices, il se produit généralement un phénomène particulier dû à la désintoxication. Le corps dégage une odeur désagréable, des séries de boutons peuvent apparaître, l'urine peut devenir trouble, etc... Cela dure environ six semaines: il ne faut pas prendre panique, c'est la preuve que l'exercice fait son effet. Cette période terminée, les résultats sont étonnants. Après un an, le résultat est phénoménal et s'accentue au cours des trois années suivantes pour ensuite se stabiliser.

La régénération à long terme demande beaucoup de courage et de volonté. Les buts facilement atteints sont moins durables que ceux obtenus par la patience et l'effort.

Test de santé par la « B-O » (test de la mauvaise odeur)

Si vous ne pouvez passer plus de 24 heures sans prendre un bain ou une douche, sans que votre corps ne dégage une odeur de « B-O » sous les aisselles, c'est que vous êtes déjà victime d'un degré d'intoxication avancé.

Personnellement, je fais le test tous les ans. Je demeure sept jours sans prendre un bain ou une douche. À l'aide d'une serviette, je ne fais qu'essuyer la transpiration qui apparaît après ma série d'exercices. Après ce laps de temps, mon corps dégage une odeur de propreté comme celle d'un vêtement étendu dehors sur une corde à linge (senteur d'oxygène). Pour en arriver à ce stade, j'ai dû passer par la période de désintoxication où j'imprégnais l'air de ma maison d'une odeur nauséabonde. On dit que le corps est le Temple du Saint-Esprit, parfois il doit être obligé de porter un masque pour ne pas suffoquer.

Alimentation

Mon alimentation est à base de céréales complètes. Je déguste chaque semaine au moins trois pains de blé moulu à la meule ou de sept céréales. Il va sans dire que j'aime le bon pain garni d'une épaisse couche de beurre. Je digère tout, même les concombres que je ne pouvais supporter auparavant. Je mange beaucoup de fruits en saison. J'ai comme principe que tous les aliments sont bons à condition de les brûler par l'exercice; c'est le surplus de nourriture non assimilée qui est nuisible. Je n'ai pas de règle rigide en ce qui concerne l'alimentation. Je recommande cependant un régime très riche en fibres alimentaires et l'équivalent de huit grands verres de liquides par jour.

Conclusion

Mon système d'exercices et ma philosophie ont prolongé ma vie. Chacun peut en faire autant. Entraînez-vous 20 minutes par jour, cela suffit. Et le reste de la journée: **Prenez le temps de vivre!**

Le corps est une statue qu'il
faut sculpter tous les jours.

CHAPITRE III

Exercices préparatoires

L'exercice physique est indispensable à notre bien-être. Dans notre civilisation moderne, la vie déséquilibrée que nous menons a une influence néfaste sur l'organisme et même sur notre schéma corporel. L'existence trop sédentaire de certains laisse inemployées diverses régions du corps, d'où résultent des muscles flasques et atones. D'autres, par contre, ont une activité trop intense. Celle-ci combinée à la tension nerveuse conduit à l'épuisement, encore plus néfaste, certes, qu'un sous-développement musculaire partiel.

Il s'agit donc de parer à cette lacune. Quiconque veut jouir d'un organisme bien équilibré, d'une silhouette bien découpée, devra s'y consacrer régulièrement. On trouve bien normal de prendre le temps de préparer plusieurs « bons » repas tous les jours, ceci pendant toute une vie. Mais il semble astreignant de consacrer un vingt minutes quotidiennement à l'entraînement physique. Serait-ce dû à notre paresse, à notre manque de conviction ou au fait de ne pas avoir découvert « l'exercice miracle »?

Il est évident que vous avez le choix de diverses disciplines, selon vos goûts, vos aspirations. Mais vous avez l'obligation d'en adopter une, sinon votre corps vous le rappellera. Que ferez-vous alors? Vous commencerez à vous exercer? Très bien, mais vous aurez peut-être vingt ans de retard.

Soyons optimistes. Puisque vous lisez ce livre, prenons pour acquis que vous avez décidé de vous entraîner dès aujourd'hui. Vous ne le regretterez pas; lorsque vous aurez « goûté » à la Technique Nadeau, vous ne voudrez plus vous en passer. C'est un système complet, parfait et agréable à pratiquer. Votre corps recouvrera des formes de plus en plus harmonieuses et la plupart de vos maux disparaîtront. Par exemple, êtes-vous de ceux qui ont mal au dos? Celui-ci est un des malaises les plus répandus en Amérique du Nord et il est le moins soulagé par la médecine traditionnelle.

Avec les exercices Nadeau, la plupart des maux de dos disparaissent: nous avons reçu de nombreux témoignages à ce sujet. Les muscles des régions cervicale, dorsale et lombaire deviennent souples et forts.

Au début, allez-y lentement. Certaines douleurs peuvent apparaître si vous ne progressez avec discernement. Il vous faudra peut-être plusieurs mois avant d'atteindre la durée totale de vos exercices quotidiens, soit 20 minutes par jour. Il a fallu un an à monsieur Nadeau avant d'y arriver. Cela dépend de l'état de santé de chacun: il est donc impossible de déterminer un moment précis où vous atteindrez le temps maximal de 20 minutes.

Sans plus tarder, je vais vous indiquer quelques petits exercices de réchauffement ayant pour but de « dérouiller » vos articulations et de les préparer pour le travail intensif auquel vous aurez à les soumettre. Une fois le corps bien entraîné, cette série d'exercices préparatoires pourra être supprimée.

Avant les exercices Nadeau

1. Cercles de la tête

La tête s'incline en avant, se penche vers l'épaule droite, se redresse, s'incline vers la gauche et continue son mouvement vers le bas. (Fig. 1) Faites 5 rotations vers la droite et 5 vers la gauche. Dirigez la conscience vers la nuque et observer ce qui s'y passe.

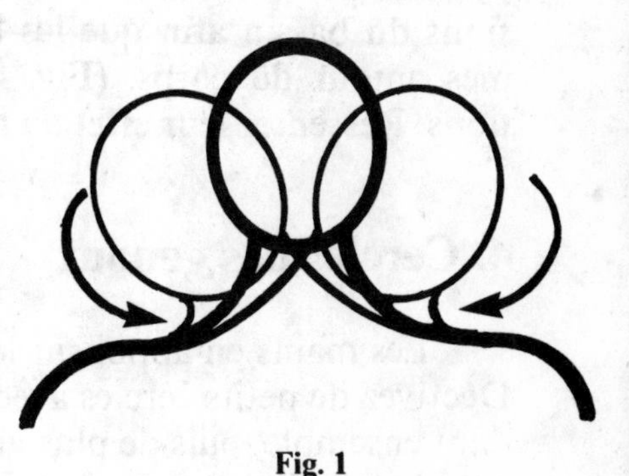

Fig. 1

2. Cercles des épaules

Levez les épaules, laissez-les glisser en arrière, en bas, ramenez-les en avant puis en haut. Dessinez 5 cercles dans un sens, puis 5 autres dans le sens contraire. (Fig. 2) Concentrez-vous à l'intérieur de l'épaule.

Fig. 2

3. L'enfant boudeur

Les bras pendent le long du corps, les genoux restent droits. (Fig. 3). Exécutez de faibles et rapides rotations du bassin: les bras oscilleront légèrement. Si votre dos accepte bien ce mouvement, accentuez les impulsions du bassin afin que les bras s'enroulent d'eux-mêmes autour du corps. (Fig. 4) Faites environ 10 rotations. Ressentez leur effet au niveau de la colonne.

4. Cercles des genoux

Les mains en appui sur les genoux légèrement pliés. Décrivez de petits cercles avec les genoux tout en les gardant ensemble, puis de plus grands cercles tout en observant le travail des genoux et des chevilles. (Fig. 5)

Fig. 3 Fig. 4 Fig. 5

5. Le chat

Placez-vous à quatre pattes, expirez et arrondissez le dos, comprimez l'abdomen. Baissez la tête, immobilisez-vous quelques secondes. (Fig. 6) Inspirez en levant la tête, creusez le dos, relâchez le ventre. (Fig. 7). Ne bougez pas le temps d'une respiration. Répétez votre mouvement (Fig. 6 et 7) 5 fois vers le bas, 5 fois vers le haut à un rythme lent. Sentez la colonne redevenir mobile.

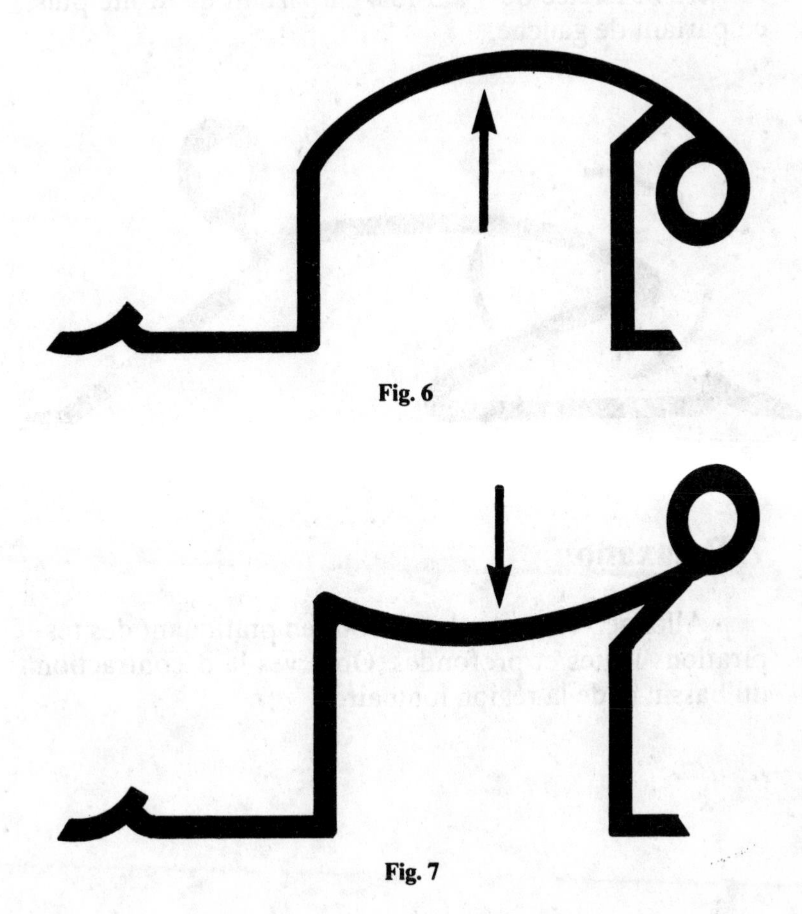

Fig. 6

Fig. 7

6. Cercles du bassin

Même départ que l'exercice précédent. Ne bougez ni les mains ni les genoux et essayez de décrire un grand cercle avec le bassin. (Fig. 8) Commencez la rotation vers la droite, en expirant, continuez le mouvement vers l'arrière. Inspirez en poursuivant la rotation à gauche puis revenez vers l'avant. Essayez d'élargir le cercle à chaque fois en rasant le sol avec le postérieur. Recommencez l'exercice de 3 à 5 fois en partant de droite puis en partant de gauche.

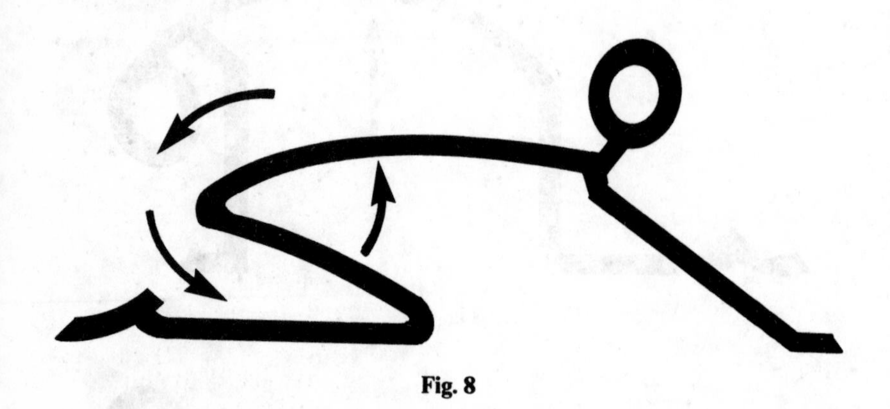

Fig. 8

7. Relaxation

Allongez-vous et relaxez-vous en pratiquant des respirations lentes et profondes. Observez la décontraction du bassin et de la région lombaire.

CHAPITRE IV

Technique Nadeau

Les exercices Nadeau sont à la fois simples et complexes. Ils se font en station debout et comportent trois mouvements de base qu'il faut décomposer pour les comprendre. **Lisez ce chapitre en entier,** du début à la fin, avant d'entreprendre votre premier exercice.

Origine des exercices

Comment ces exercices sont-ils nés? Pendant les heures sombres de sa maladie, monsieur Nadeau regardait la télévision. On sait que les distractions sont limitées pour un cardiaque; on lui recommande le repos complet. L'inactivité engendre souvent l'inquiétude et la dépression, mais monsieur Nadeau n'était pas homme à se laisser aller. Sur l'écran, il vit apparaître des danseuses du ventre. Sans plus tarder, il les a imitées! Il a « dansé » environ une minute. C'était trop, son coeur a failli flancher. Un autre aurait abandonné toute nouvelle tentative. Le lendemain, Henri Nadeau refit sa « danse du ventre » pendant quinze secondes et, cette fois, il s'en porta bien.

En Occident, un mouvement ondulatoire du bassin est considéré comme un geste provocateur et lascif, principalement s'il est exécuté par une femme aux formes rondelettes. Mais peut-on imaginer un homme de 60 ans, rachitique, cardiaque, se « brassant le ventre » à la manière des danseuses orientales? Henri Nadeau n'avait pas de complexes, il lui fallait découvrir un système d'exercices pour sa survie et, sans contredit, la rotation du bassin en serait la base! Il avait réalisé que lorsque l'on bouge le bassin, on agit sur les organes vitaux contenus dans l'abdomen; celui-ci est le centre de l'énergie vitale. À quelques centimètres sous le nombril se situe le **hara**, ainsi nommé chez les Japonais.

En faisant circuler l'énergie à cet endroit, on alimente tout l'organisme et on obtient la force, la résistance, l'infatigabilité, la santé. Que dire du plexus solaire, cet enchevêtrement de filets nerveux situé un peu au-dessus de l'ombilic? C'est lui qui influence les fonctions de la respiration, de l'élimination, de la circulation, du système nerveux... Ce plexus est souvent considéré comme le « cerveau abdominal ». Lorsque votre cerveau est surchargé par des préoccupations ou par un travail intellectuel, débloquez l'énergie dans le plexus solaire en faisant des rotations lentes du bassin. Quelques minutes après, le cerveau sera rétabli et vous recommencerez à penser clairement, sans fatigue. Avez-vous une sensation de « boule dans l'estomac », un foie paresseux, une digestion lente, un pancréas surmené, des intestins déréglés? Voilà autant de bonnes raisons pour pratiquer l'exercice précité. Les gens physiquement actifs éliminent beaucoup mieux les substances toxiques. Leur système circulatoire, leur foie et leurs reins et tous leurs organes vitaux sont plus efficaces.

Le ventre est le lieu où la vie naît et s'entretient. La tonicité de la sangle abdominale a une influence particulière sur notre état de santé. Mais certains ne s'occupent pas de leur ventre, ils s'empiffrent, s'affalent, laissent leurs muscles se distendre. Les organes s'affaissent et fonctionnent au ralenti. Peu à peu, le corps devient malade, souffre sans que chacun se rende compte qu'il est son propre tortionnaire.

Il est inutile de se culpabiliser des erreurs passées, il n'est jamais trop tard pour s'améliorer et se prendre en mains.

Explication de la méthode

Le premier exercice est donc un mouvement de rotation du bassin dans lequel on se penche vers le côté puis vers l'avant. (Fig. 9, 10, 11)

Le deuxième exercice de monsieur Nadeau se démontre plus facilement qu'il se décrit. Il s'agit d'exécuter des rotations du bassin sans pencher le corps et d'exécuter en même temps un mouvement de vague tout le long de la colonne vertébrale. (Fig. 12, 13, 14) La tête suit l'ondulation du dos ce qui provoque un balancement de la tête. Celui-ci se poursuit de droite à gauche et de gauche à droite. Ce dernier geste lui a été inspiré par une jeune danseuse hindoue qui exécutait ce balancement de la tête avec une extrême rapidité.

L'ensemble de ce deuxième exercice, la vague du dos et le balancement de la tête, me pousse à faire un

TECHNIQUE NADEAU — Exercice 1

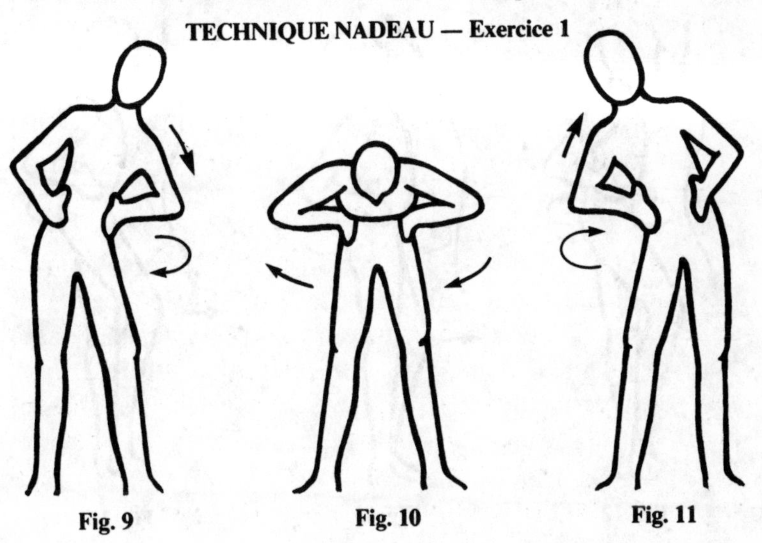

Fig. 9 Fig. 10 Fig. 11

rapprochement avec le yoga. Le but ultime de tout yogi est d'éveiller les centres d'énergie logés dans la colonne vertébrale. Ceci peut se faire par la méditation et aussi par l'exercice. Sans même connaître la discipline yogique, monsieur Nadeau en a découvert le grand secret. En effet, le yoga enseigne qu'il existe en nous une énergie particulière située au bas de la colonne (bassin). Lorsque cette énergie s'éveille, elle monte à l'intérieur de la colonne et rejoint son pôle opposé (le cerveau) en traversant les différents plexus.

« Les traités traditionnels décrivent les sensations que produit cette ascension comme ressemblant à un fourmillement qui se propagerait le long de la colonne vertébrale ou à la montée d'une vapeur chaude dans la colonne. » Je puis vous assurer qu'une chaleur très intense se manifeste dans le dos et la colonne par la pratique des exercices Nadeau. D'ailleurs, monsieur Nadeau m'a souvent dit: « Quand je fais mes exercices, il se

TECHNIQUE NADEAU — Exercice 2

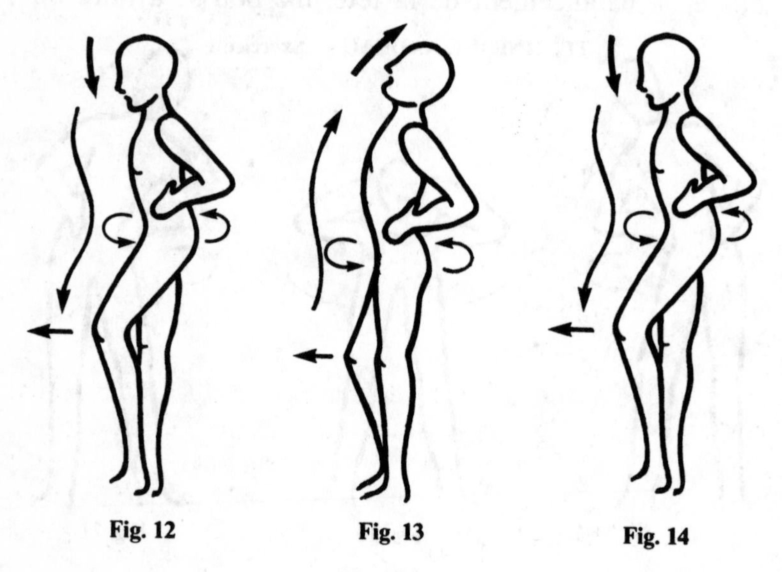

Fig. 12 **Fig. 13** **Fig. 14**

passe quelque chose en moi, c'est inexplicable mais un changement s'opère. » Après avoir étudié ses mouvements et l'action intense qu'ils exercent au niveau de la colonne vertébrale et des nerfs qui s'en dégagent, il m'apparaît évident que l'énergie est largement activée, favorisant ainsi la régénérescence du corps. Dans le cas de monsieur Nadeau les résultats furent spectaculaires. Ses cheveux ont repoussé, de plus, ils sont légèrement blonds. Il portait des lunettes depuis 30 ans, maintenant il ne les utilise que pour lire ou conduire son automobile. Il a acquis une grande acuité auditive; il entend les moindres bruits et le son de la musique est plus doux à son oreille qu'auparavant. Sa mémoire s'est développée. Certaines rides du visage s'effacent. Il digère tout et mange ce qui lui plaît. L'arthrite qui le faisait souffrir à une hanche a disparu. On lui avait dit: « À ton âge, n'en demande pas trop. » Et pourtant, tous ses malaises se sont dissipés.

Un problème de prostate s'est réglé de lui-même. Il n'a pas eu à subir l'intervention à coeur ouvert qui devait avoir lieu dans les deux années suivant le début de sa maladie; ses artères étaient bouchées à 80%. Monsieur Nadeau est convaincu que rien d'autre que ses exercices ont « débloqué les boyaux ». Il s'agissait de mettre de la pression, dit-il, pour que le sang circule bien.

C'est à ce deuxième exercice que l'on peut attribuer en grande partie la métamorphose qu'a subie monsieur Nadeau.

Le troisième exercice de monsieur Nadeau est un mouvement de natation qui s'exécute avec les bras. Le regard reste fixé devant soi, les bras « nagent » dans l'espace, les coudes sont ramenés alternativement très loin derrière le dos afin d'imprimer une torsion à la colonne.

Du début à la fin, les jambes bougent comme si on marchait mais sans se déplacer (Fig. 15, 16, 17). Monsieur Nadeau considère la natation comme un excellent sport mais encore faut-il une piscine à sa portée pour pouvoir le pratiquer. Dix ans auparavant, monsieur Nadeau avait le bras gauche à demi paralysé, suite à une thrombose. Pour y remédier, il attachait son bras à une poignée de porte et, par un mouvement de va-et-vient, il tonifiait les muscles affaiblis. Aujourd'hui, il est fier de montrer son bras et de dire: «Gare à ce poing, y a du tigre là-dedans. »

Afin de bien comprendre ce système d'exercices et d'en connaître le temps d'exécution, veuillez vous référer aux explications et aux illustrations ci-après. Lire attentivement les exercices détaillés.

Je reprends donc avec vous les exercices et vous les présente de façon plus détaillée.

TECHNIQUE NADEAU — Exercice 3

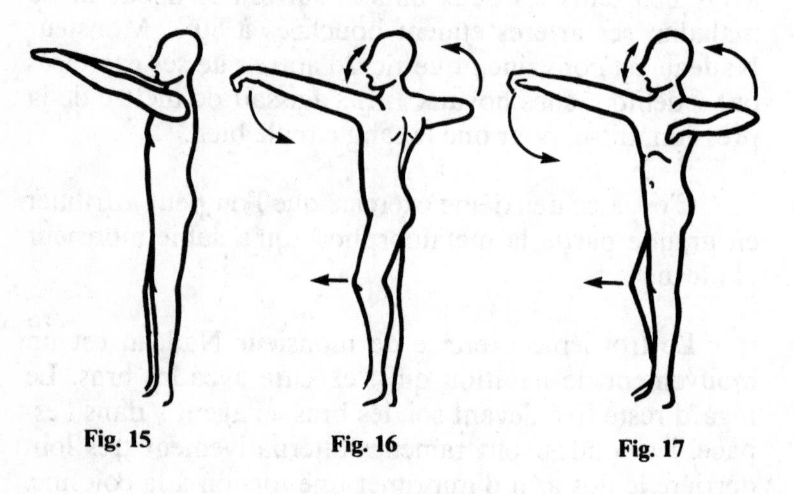

Fig. 15 Fig. 16 Fig. 17

Exercice 1

Debout, jambes écartées à la largeur des hanches, placer les mains en appui à la taille ou les laisser pendre le long du corps. Le bassin commence à décrire un cercle de droite à gauche, à la manière des enfants qui font tourner un cerceau autour de leurs hanches. (Fig. 18) La difficulté intervient lorsqu'il s'agit de faire bouger une jambe après l'autre et non les deux ensemble. (Fig. 19)

Fig. 18

MAL
(les deux genoux plient ensemble)

Fig. 19

Examinons de près le mouvement de départ: la hanche droite est poussée vers l'extérieur, le poids du corps repose sur le pied droit, le genou gauche est fléchi, le torse est penché vers la gauche. Ceci donne une position de déhanchement. (Fig. 20) Le mouvement de rotation continue par la poussée du bassin vers l'arrière alors que la tête penche vers l'avant comme pour saluer. (Fig. 21) Ceci imprime une extension à la colonne et enlève la fatigue du dos. Le bassin continue son mouvement et prend la position de déhanchement à gauche. (Fig. 22) La rotation se poursuit vers l'avant en position verticale, le dos très légèrement cambré. (Fig. 23) Et le cercle continue, trente fois en partant de droite et trente fois en partant de gauche. Il est à noter que le poids du corps ne porte jamais sur la jambe du côté où l'on est penché, il porte sur l'autre jambe. Référez aux fig. 9, 10, 11 de la Technique Nadeau. Pratiquez cet exercice pendant quelques minutes seulement. Pas de vitesse au début. Après plusieurs mois, selon votre condition, monsieur Nadeau recommande d'exécuter vos mouvements avec plus d'effort et d'atteindre graduellement le rythme de un mouvement à la seconde, ce qui correspond à 300 mouvements en 5 minutes. Cela prend plusieurs mois pour reconditionner un coeur et pour rebâtir des muscles. Usez de patience et de persévérance. S'il y a douleur anormale, cessez l'exercice pendant quelques jours. Recommencez ensuite très lentement comme au début.

Fig. 20 **Fig. 21**

Exercice 1 — Détaillé

Fig. 22 **Fig. 23**

Exercice 2

Ce mouvement s'intercale entre les exercices 1 et 3 au moment où vous avez maîtrisé ces derniers. Voici les diverses étapes de l'exercice 2:

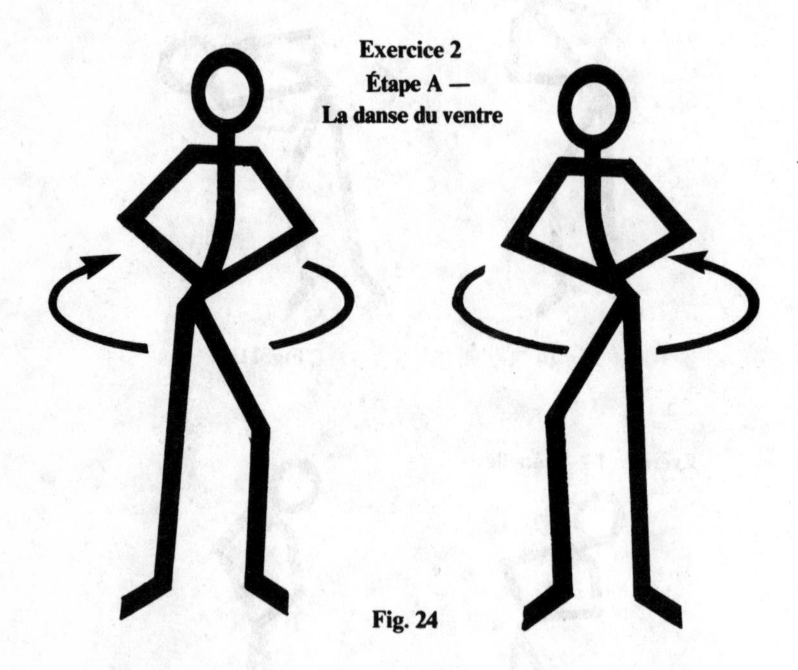

Fig. 24

Étape A — La danse du ventre: Exécutez une rotation du bassin comme dans l'exercice 1 mais **sans pencher** le corps, le torse reste immobile (vous pouvez vérifier son immobilité en plaçant les mains de chaque côté du thorax pour l'empêcher de bouger). (Fig. 24) Ce sont uniquement les jambes et le bassin qui bougent. Décrivez des cercles à la manière des danseuses du ventre, trente fois en partant de la droite, trente fois en partant de la gauche. Regardez-vous dans le miroir, c'est une excellente façon de vérifier l'exactitude de votre mouvement. Êtes-vous satisfait de votre performance? Très bien, laissez cela de côté et concentrez-vous sur l'étape suivante.

Exercice 2 — Étape B — La vague

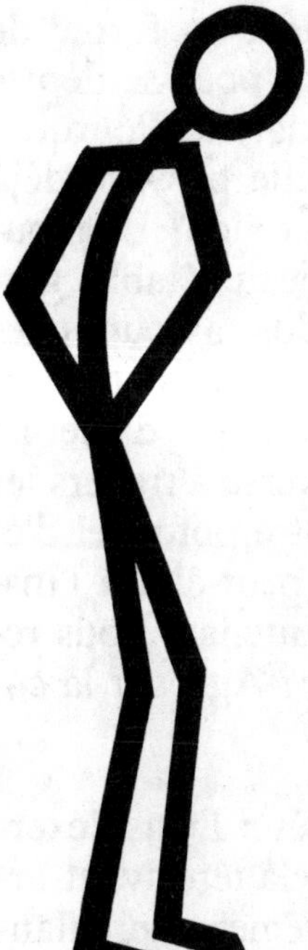

Fig. 25 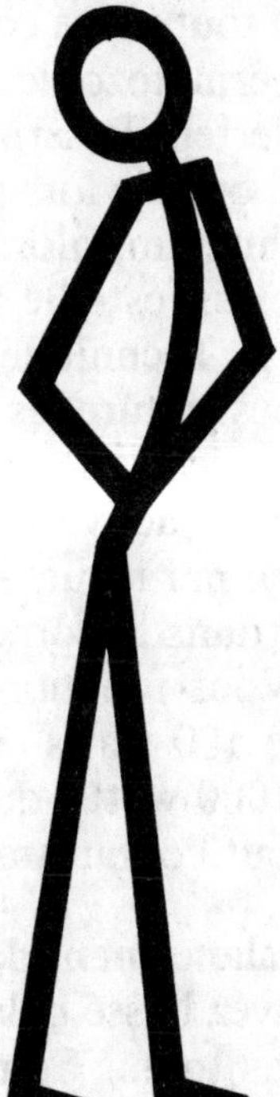 **Fig. 26** 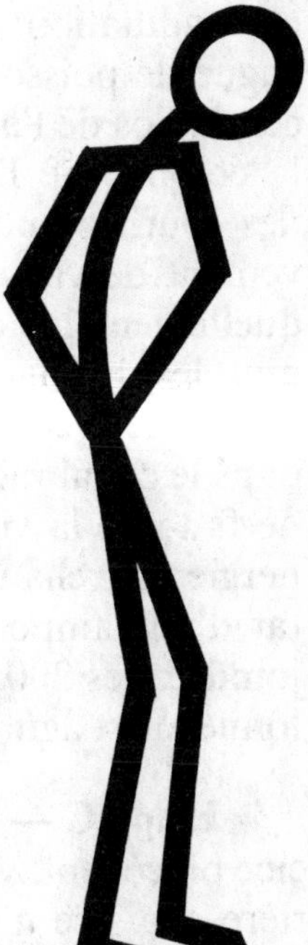 **Fig. 27**

Étape B — La vague: Départ: menton rentré, genoux légèrement pliés. (Fig. 25) Commencez à « vaguer » en ramenant au maximum vos épaules vers l'arrière: le thorax s'ouvre, le ventre est tiré vers l'intérieur, les omoplates se rapprochent, la tête bascule vers le dos, les jambes se déplient. (Fig. 26) Ramenez ensuite le bassin vers l'avant tout en laissant vos épaules descendre vers le bas. Le thorax s'abaisse automatiquement, il vient masser les organes abdominaux. La tête revient vers l'avant, les genoux sont légèrement repliés comme dans la posture de départ. (Fig. 27) Étudiez bien la position de votre corps dans ces deux exercices puis enchaînez-les de façon alternative avant-arrière. Votre dos décrira ainsi le mouvement des vagues de la mer et un flot d'énergie jaillira dans tout votre corps. La vie elle-même est ondulation: le spermatozoide se meut en forme de vague, le poisson et le reptile serpentent pour se déplacer, le dos de l'animal ondule lorsqu'il marche. Pourquoi la colonne de l'être humain, alors qu'elle possède déjà des courbes ondulatoires, est-elle aussi rigide? Le mouvement de vague de la Technique Nadeau rétablit graduellement les courbes naturelles du dos, assouplit les muscles, les ligaments, les articulations, nourrit les disques inter-vertébraux. Il active la circulation d'énergie dans le canal rachidien par lequel se déverse à travers les nerfs toute la vitalité dans le corps. Votre potentiel d'énergie est rehaussé. Vous fonctionniez peut-être à l'instar d'une ampoule de 100 watts et maintenant vous rejoindrez les 200, les 1000 watts, qui sait? Agir sur la colonne, c'est agir sur tout l'organisme.

Étape C — Le balancement de la tête: Dans l'exercice précédent, vous avez laissé balancer la tête avant-arrière, mais ce n'est pas tout... Ce mouvement de balancement se poursuit de droite à gauche, et de gauche à droite, le regard dirigé vers le haut. Quand la tête tourne vers l'arrière, les yeux regardent le plus loin possible en direction du dos. Monsieur Nadeau est un grand observateur. Il a basé son exercice sur le regard des oiseaux. Leurs yeux sont toujours aux aguets. Tous les muscles oculaires travaillent, leur vue est perçante. Monsieur Nadeau les a donc imités, ce qui lui a permis de se débarrasser des lunettes qu'il portait depuis trente ans.

Tel que mentionné auparaant, les étapes A, B, C doivent être franchies une à une pour ensuite s'intégrer et former un seul mouvement ondulatoire. Par conséquent, la danse du ventre, la vague et le balancement de la tête s'enchaînent et s'unifient dans un magnifique geste de souplesse. Le corps entier est en action de la tête jusqu'aux pieds. C'est un exercice complet et d'une haute perfection. (Voir fig. 12, 13, 14 de la Technique Nadeau). À son stade final d'exécution, ce mouvement est répété 600 fois en dix minutes toujours en alternant les cercles du bassin; 30 rotations en partant de droite, 30 en partant de gauche.

Exercice 3

Ceci ressemble à un mouvement de natation. Debout, allongez les bras devant vous à la hauteur de la tête. Amenez le coude droit derrière le dos et la main près de l'aisselle. Décrivez ensuite un demi-cercle en allant vers le haut avec le bras droit pendant que le coude gauche descend en direction du dos, puis remontez vers l'avant. Repliez la main comme pour ramener l'eau vers vous. Ce geste de natation se poursuit 300 fois en comptant un temps à chaque mouvement de bras. Au début, n'exécutez que 15 ou 30 mouvements. Arrêtez et vérifiez votre degré de résistance avant de poursuivre. L'effort ne doit pas conduire à l'épuisement. (Fig. 15, 16, 17 de la Technique Nadeau).

En peu de temps, vos muscles se fortifient et vos malaises disparaissent; le populaire point de douleur entre les omoplates s'évanouit. En simulant un mouvement de natation, on imprime une torsion bénéfique à la colonne vertébrale. Ceci est particulièrement utile pour corriger la scoliose. Qui n'en a pas une?

Grâce à une meilleure rotation des vertèbres et à une souplesse accrue de toutes les articulations, nos élèves adeptes du golf ou du ski ont atteint un degré de performance comme jamais auparavant.

Quand on apprend, il est nécessaire de bouger lentement. Cela permet de percevoir le mouvement dans ses moindres détails et de sentir les parties du corps qui travaillent. Si vous bougez rapidement, vous n'avez pas le temps d'agir en profondeur sur les muscles, vous passez « à côté » de votre mouvement. Donc, au début, allez-y **lentement**, la vitesse augmentera parallèlement à votre bien-être physique, sans toutefois dépasser un mouvement à la seconde.

La technique Nadeau favorise une mobilisation complète des articulations. Elle agit en souplesse, dans le sens de l'allongement des muscles. Elle ne provoque jamais de surcontraction, elle maintient l'équilibre parfait du muscle, qui devient souple et résistant à la fois.

La plupart des gens ont un mauvais tonus musculaire. Ceux qui s'adonnent à un exercice trop intensif développent des muscles durs et boursouflés qui se déchirent facilement parce qu'ils ne sont pas assez élastiques. Ceux qui ne pratiquent aucun exercice physique avec endurance ont des muscles flasques, sans résistance.

Par la pratique régulière des exercices Nadeau, le

corps reprend sa silhouette de vingt ans. Plusieurs personnes mentionnent avoir aminci des hanches et de la taille. Les fesses et les cuisses sont plus fermes ainsi que la poitrine et les bras. Les vêtements s'ajustent mieux.

Pour être en forme, il faut « avoir la forme », dit monsieur Nadeau.

Aimeriez-vous voir certaines transformations s'opérer en vous? Dès le début de votre entraînement, montez-vous une fiche personnelle. Prenez quelques photos de vous-même: vue de face, de côté et de dos. Notez comment vous vous sentez au moment d'entreprendre ce système d'exercices: vos malaises physiques, votre attitude mentale et émotive. Ensuite, laissez cela de côté. Pratiquez quotidiennement sans vous soucier des résultats ni des petits malaises qui peuvent surgir entretemps. Six mois plus tard, reprenez votre fiche et suivez le même procédé qu'au début: nouvelles photos, annotation de tous les changements physiques et psychologique. Poursuivez votre observation deux fois par année pendant trois ans. Les changements seront incroyables, vous serez métamorphosé.

Quand ils se sentent mieux, bien des gens oublient comment ils étaient auparavant. C'est la raison pour laquelle il importe de noter votre progression. Lentement, mais sûrement, votre santé s'améliore, votre corps devient plus résistant à la fatigue, à la maladie, vos organes vitaux fonctionnent à leur mieux. Vous sentant « bien dans votre peau », vous devenez plus sûr de vous-même, vous bâtissez une force intérieure vous permettant d'absorber les « durs coups de la vie ». Toute votre philosophie de vie change. Au lieu de vous abandonner à la déprime ou à l'angoisse, vous devenez énergique, confiant, rassuré. Vous vous aimez davantage et votre magnétisme attire les gens vers vous. Saviez-vous qu'il en fallait si peu pour être heureux? Le corps, la pensée et les émotions ont une interaction et forment un TOUT indivisible. C'est la volonté de faire ce petit vingt minutes d'exercices par jour qui influencera votre vie. La corviction, due aux résultats obtenus, fera le reste!

Mettez-vous à l'oeuvre dès maintenant. Ne pratiquez que quelques minutes s'il le faut, mais n'hésitez pas à commencer votre entraînement.

Au début, la persévérance est de rigueur. Une fois que vous connaissez les trois mouvements de la Technique Nadeau, ils demeurent les mêmes pour la vie.

Le moment idéal pour vos pratiques est le matin à jeun. Ne soyez pas pressé, concentrez-vous sur vos exercices, respirez profondément tout au long de votre pratique

Apprenez vos mouvements en vous plaçant devant un miroir. La première semaine, exécutez entre 10 et 30 fois les exercices 1 et 3 de la Technique Nadeau. Lorsque ceux-ci sont bien compris, incorporez l'exercice 2 en procédant par étapes A, B, C, tel qu'indiqué au chapitre IV. Par la suite, si votre corps vous le permet, doublez le nombre de mouvements. Par exemple, vous passerez de 10 ou 30 exécutions à 20 ou 60. Lorsque vous aurez atteint, à un rythme lent, 5 minutes de pratique pour chacun des exercices, vous pourrez graduellement accélérer votre rythme, sans **jamais** dépasser les données suivantes.

TABLEAU indiquant le temps MAXIMAL d'exécution des Exercices NADEAU

Exercice 1	300 fois	en 5 minutes
Exercice 2	600 fois	en 10 minutes
Exercice 3	300 fois	en 5 minutes

Ce rythme correspond à un mouvement à la seconde. Cette vitesse peut être atteinte **uniquement** après plusieurs mois de pratique assidue.

Pratiquez tous les jours, même si vous n'atteignez pas de hautes performances. L'essentiel n'est pas de réussir à la perfection les exercices mais de masser les organes, les étirer, les tordre, les irriguer davantage. C'est aussi dérouiller les muscles et les articulations, les assouplir. C'est apporter au corps un nouveau souffle de vie!

Monsieur Nadeau en position de base

La respiration

Tout au long des exercices, il faut s'assurer une bonne oxygénation. Point n'est besoin d'accorder le souffle avec le mouvement. Au contraire, lorsque le rythme des exercices s'accélère, il faut ralentir celui du souffle.

Les exercices Nadeau s'accompagnent de la respiration suivante. L'inspiration se fait simultanément par le nez et par la bouche entrouverte. L'air du dehors est profondément aspiré et engendre un bruit sourd, uniforme.

L'expiration se fait uniquement par la bouche. On expulse un long filet d'air entre les lèvres; celles-ci se compriment comme si on soufflait une chandelle. Il faut pousser le souffle au-dehors sans permettre aux joues de se gonfler.

Cette façon de respirer est une véritable gymnastique pulmonaire. Elle augmente la pression intra-thoracique et favorise l'échange gazeux au niveau alvéolaire. Elle développe l'élasticité des poumons, fortifie le coeur en l'obligeant à pomper plus de sang. Une immense quantité d'oxygène est absorbée et un maximum de gaz carbonique est rejeté. Elle nettoie et vivifie l'organisme tout entier. Voilà où réside le principe de désintoxication par oxygénation.

Sur le plan psychique, cette respiration a plusieurs effets. En voici quelques-uns: elle supprime la fatigue mentale, les angoisses, les états dépressifs. Elle développe la volonté et les pouvoirs de l'esprit.

À noter: pour protéger les bronches, ne jamais pratiquer les exercices Nadeau à une température inférieur à 15° Celcius (60° Fahrenheit). En hiver, ne pas ouvrir toutes grandes les fenêtres mais faire ces exercices à la température normale de la pièce.

Le rire

Tout au long des exercices Nadeau, le sourire est de rigueur. Il permet de maintenir la bouche ouverte, condition indispensable à une abondante absorption d'air dans les poumons, lors d'un exercice intensif.

Lorsque nous travaillons en groupe, le rire semble faire partie intégrante du cours. Monsieur Nadeau possède un dynamisme sans égal et ses remarques enjouées lancées à brûle-pourpoint ont pour effet de déclencher chez les élèves une grande gaieté.

Le rire est un remède puissant, c'est un antidote contre les effets néfastes du stress. Le rire permet de débarrasser tout le corps de ses tensions. Après avoir « ri de bon coeur », les mucles se détendent comme si on avait pris un bain chaud. Ce « lavage intérieur » par le rire approvisionne l'organisme en oxygène, déloge des toxines engendrées par le stress et entraîne une diminution notable de la tension artérielle.

Ceux qui rient librement se sentent envahis par une joie qui continue à se manifester même après qu'ils ont cessé de rire. Leur visage est frais, leurs yeux brillants; un sentiment de bonne humeur les anime. Le rire maintient en chacun l'harmonie, la santé et fait naître le germe d'une jeunesse nouvelle.

Le coeur

Le coeur est un muscle puissant et, pourtant, chez certaines personnes, il s'affole à tout instant. On a décerné au coeur un rôle affectif: il est le siège du courage, de la générosité, le centre de l'émotivité. Il ne faut cependant pas oublier que le coeur est aussi un muscle qu'il faut tonifier, développer par des mouvements progressifs et répétitifs. C'est le manque d'exercice et le stress qui l'affaiblissent et l'usent prématurément.

Le coeur met moins d'une minute pour assurer au sang un tour complet dans les vaisseaux et pourtant, dans une seule journée, notre sang parcourt quelque cent cinquante millions de kilomètres.

Un coeur fort et solide possède une paroi musculaire épaisse et puissante. Ce coeur bat lentement, soit de quarante à cinquante battements à la minute. Chez les gens non entraînés, les pulsations/minute sont d'environ quatre-vingts chez les femmes et soixante-douze chez les hommes. Chacun devrait connaître son rythme cardiaque au repos et à l'effort.

Un moyen facile de prendre votre pouls et de placer deux doigts sur le cou au niveau des artères carotides et de compter les pulsations pendant quinze secondes puis multiplier par quatre pour obtenir le pouls à la minute.

Pratiquez pendant 5 minutes un exercice intensif puis vérifiez votre pouls à l'aide du tableau ci-joint. Si vos pulsations dépassent la norme sécuritaire, vous fournissez un trop grand effort. Mettez la pédale douce... Si vous êtes en deçà de la marge permise, allez de l'avant, exercez-vous régulièrement.

À chaque jour recommencez votre entraînement de façon assidue et progressive. Ne faites pas l'erreur de devenir inactif et de vous laisser gagner par la paresse. Il est bien connu que la sédentarité prédispose aux maladies du coeur tandis que l'exercice physique régulier fait « reculer l'âge » et ajoute des années à votre vie. « Rajeunir, c'est prolonger sa vie. »

FRÉQUENCE CARDIAQUE SÉCURITAIRE SUITE À L'EFFORT

ÂGE	RYTHME CARDIAQUE À LA MINUTE
20 ans	160
30 ans	152
40 ans	144
50 ans	136
60 ans	128
70 ans	120
80 ans	112

Effets régénérateurs

Qui peut pratiquer les exercices Nadeau?

Ils peuvent être faits par tous, du plus jeune au plus âgé. Plus on débute tôt, meilleurs sont les résultats. La nécessité d'entreprendre ces exercices devient urgente lorsque le corps commence à vieillir. Regardez-vous dans le miroir, y voyez-vous des épaules arrondies, un cou qui penche vers l'avant, un ventre qui bombe et pend vers le bas, des fesses qui ressortent, des jambes écartées, des pieds tournés vers l'extérieur ou l'intérieur? Avez-vous de la difficulté à ajuster vos vêtements? Une épaule tire un peu, une jambe de pantalon est plus courte que l'autre, une manche est trop longue, un vêtement plisse d'un côté... Vos problèmes sont-ils plus intérieurs? Un cou raide, des maux de tête, un dos douloureux, un coeur et des poumons fatigués, des organes digestifs déréglés, de l'arthrite, de l'arthrose et plus encore... De sérieux troubles de santé peuvent être installés, MAIS IL Y A ESPOIR.

Contre-indications

Toutes les personnes ayant un problème important de santé, en particulier les cardiaques, devraient procéder avec lenteur et demeurer à l'écoute de leur corps afin de percevoir leurs propres limites.

Les femmes enceintes doivent débuter très très doucement à cause de l'intensité du mouvement abdominal: celui-ci exerce un puissant massage des ovaires. Les premiers mois de la gestation sont à surveiller. Par la suite, lorsque le foetus est bien enraciné, le mouvement peut s'accentuer légèrement. Il faut toujours vérifier s'il n'y a pas de douleur abdominale avant de progresser.

Si elle suit ces indications, la future mère évite les douleurs lombaires, fortifie la sangle abdominale, améliore sa circulation sanguine. Elle augmente sa résistance à la fatigue et elle accouchera dans la plus grande facilité.

Être en santé, est le plus beau cadeau qu'elle pourra offrir à son enfant.

Effets généraux

Votre corps reprendra ses formes d'antan, la majorité de vos malaises physiques disparaîtront, vous vous sentirez imprégné d'énergie. Votre esprit sera plus lucide et éveillé. Votre système cardio-vasculaire sera stimulé et l'oxygène coulera à flot dans chacune de vos cellules.

Votre qualité de vie sera améliorée; vous jouirez d'une jeunesse, d'une vitalité renouvelée, vous éloignerez la sénilité.

Effets spécifiques à certains organes

Le cerveau et les glandes: la Technique Nadeau comporte des mouvements répétitifs de la nuque et de la tête. Tout au long des 1200 mouvements, la tête bouge dans toutes les directions. L'oxygénation au cerveau est assurée. Le cerveau est l'organe le plus vascularisé de tout l'organisme. Les capillaires retrouvent leur élasticité normale et le rinçage auquel ils sont soumis restaure leur bon fonctionnement; les migraines et les maux de tête disparaissent généralement sans laisser de traces. Les ressources intellectuelles sont stimulées; la mémoire s'améliore ainsi que le pouvoir de concentration. Les glandes endocrines du secteur cérébral sont activées ainsi que la thyroide, d'où un rajeunissement et un meilleur équilibre à tous points de vue.

La vue, l'ouie: les organes de la vision sont nettement bénéficiaires du travail qui leur est imposé. Les yeux bougent de haut en bas, de droite à gauche et obligent tous les petits muscles autour des globes oculaires à se mouvoir, d'où une meilleure irrigation de l'oeil. De même que la vue, l'ouie est améliorée; on perçoit les sons différemment, ils sont plus doux à entendre. Monsieur Nadeau a développé une grande acuité auditive. Lui qui était « dur d'oreille », perçoit maintenant tous les chuchotements.

Le cervelet: celui-ci est abondamment irrigué suite au geste de balancement de la tête avant-arrière. Au début de leur pratique, les gens perdent parfois l'équilibre mais celui-ci devient généralement stable en peu de temps et la coordination des mouvements s'améliore.

La colonne vertébrale: la colonne est le grand « réseau électrique » par où passent tous les fils conducteurs d'énergie: les nerfs. Les exercices Nadeau font travailler activement la colonne. C'est une des caractéristiques particulières à cette technique. Les filets nerveux sont mis à contribution, permettant ainsi une meilleure circulation de l'énergie vers les cellules. Les muscles et les ligaments sont tonifiés et assouplis, ce qui prémunit contre les maux de dos.

Les poumons: le mouvement de vague relié aux exercices oblige les poumons à se dilater et à se comprimer amplement. La respiration forcée qui accompagne ce geste, augmente la pression intra-thoracique et favorise la perfusion alvéolaire. Cette ventilation inhabituelle, cette désintoxication forcée est une véritable bénédiction pour l'arbre pulmonaire.

L'abdomen: l'exercice de la « danse du ventre » remet en circulation le sang stagnant, décongestionne les viscères abdominaux et les organes génitaux. Le foie, l'estomac, le pancréas et l'intestin reçoivent un fort massage. Le plexus solaire se décontracte. Le corps résiste mieux à la fatigue nerveuse.

La circulation: la répétition de 1200 mouvements intensifs en vingt minutes entraîne une bienfaisante accélération cardiaque et constitue une véritable gymnastique des vaisseaux sanguins. Le retour du sang veineux est activé et les toxines s'éliminent en moins de temps. L'organisme est ainsi décrassé, purifié, régénéré. Les varices sont atténuées et la fatigue dans les jambes disparaît.

Les muscles: nous avons environ 600 muscles qui constituent en volume et en poids plus de la moitié du corps. Plus un muscle fonctionne, plus il se développe. Au lieu de l'user, le travail le fortifie. Il faut toutefois éviter la surmusculation. La technique Nadeau a la propriété de produire un muscle souple et résistant.

Effets esthétiques: le corps se redresse, la démarche devient souple et assurée. La chevelure est plus abondante. La peau rajeunit et dévoile un visage sans rides profondes.

Effets psychiques: la Technique Nadeau se pratique dans un esprit de gaieté. Elle chasse la tendance aux idées noires, accroît les fonctions intellectuelles dont la mémoire et la concentration. Elle exerce la volonté, donne de l'assurance, élimine la timidité et les sentiments d'infériorité. Elle permet de se « sentir bien dans sa peau ».

Plusieurs personnes vibrent d'une profonde reconnaissance pour tout le bien-être que cette technique leur a apporté. Leur vie est complètement transformée. Vingt minutes d'exercices Nadeau par jour sont un gage de santé et de longévité ainsi qu'un départ vers une aventure remplie de découvertes impressionnantes!

En complément des effets précités, voici une évaluation de la Technique Nadeau présentée par un professionnel de la santé, adepte de cette technique, le Dr André-Marie Gonthier. Nous remercions le Dr Gonthier pour cette évaluation et pour la préface.

Les bienfaits des Exercices Nadeau pour votre santé vertébrale

«La nature nous a donné une colonne vertébrale composée de 24 vertèbres mobiles. Chacune d'elles doit bouger librement dans six directions différentes soit vers l'avant, vers l'arrière, sur les côtés et en rotation. La nature ne fait rien inutilement. C'est un principe indéniable. Mais l'homme moderne, à cause d'une multitude de facteurs, dont entre autres l'inactivité physique et la sédentarité, perd peu à peu de sa souplesse et s'ankylose progressivement. Regardez les enfants. Ils ne sont que grâce et mouvement. Pour eux, bouger est symbole de vie et de liberté. Plus on vieillit, plus on s'éloigne de ce concept de mouvement et on amorce très tôt son long cheminement vers l'inactivité et l'ankylose. Ce que l'on n'utilise pas, on le perd! Comparez vos prouesses avec celles d'un enfant et vous verrez!

« C'est bien normal d'être enraidi à vivre comme l'on vit. Voici le scénario quotidien de « L'HOMO SAPIENS »: au réveil, on roule en bas du lit et ainsi s'amorce une longue et pénible journée. Après un déjeuner avalé en vitesse, on se précipite au travail. C'est le long trajet au bureau, assis confortablement (sic) dans sa grosse bagnole. On besogne fort, dans une ambiance de stress et de fumée! Le midi, toujours assis, on mange en vitesse. Et l'après-midi se déroule comme la matinée, sauf que l'on se surprend à roupiller quelquefois! En fin d'après-midi, fourbu d'inactivité physique et de surménage psychologique, c'est le chemin du retour, en première classe, s'il vous plaît! Et après un copieux souper, on retrouve avec joie son fauteuil préféré et on se paye un petit « somme » bien mérité.

« Ce scénario vous semble familier? C'est en fait celui de la majorité de notre population adulte.

« Le drame, c'est que votre corps ne peut pas être en santé et se régénérer s'il est mis au rancart. Il doit BOUGER TOUS LES JOURS. Ceci n'est plus un secret pour personne.

« C'est en fait un principe de **longévité.** C'est le principe même de la vie. Une cellule sans mouvement biologique est considérée morte.

« Alors, il ne vous reste plus qu'à prendre la meilleure décision de votre vie: **Bouger.**

« Mais comment?

« Par les exercices Nadeau. Pourquoi? Parce que ce système est simple, facile à comprendre et à maîtriser. Aucun besoin d'équipement spécialisé. Il ne vous demande en réalité que deux choses: de la volonté et de la patience.

« Votre colonne vertébrale subira une transformation. Elle est construite pour bouger et le mouvement est une condition essentielle à votre santé vertébrale. Plus votre colonne vertébrale va s'activer, plus les retombées positives seront grandes. À mesure que vous devenez plus souple, plus dégagé, votre potentiel de vie et votre énergie intérieure pourront mieux s'exprimer. Par cette mobilisation douce et progressive, chacune de vos articulations retrouvera une aisance nouvelle, une mobilité accrue.

« Et votre système nerveux, qui est le maître de votre corps sera en mesure de fonctionner plus librement. »

« En fait, c'est très simple, une phrase résume le tout: « la vie, c'est le mouvement et le mouvement, c'est la vie. »

« Les Exercices Nadeau constituent en soi une activité saine et complète. Ils mettent en mouvement le corps dans sa totalité, de la tête aux pieds.

« Ce qui est très intéressant, c'est que ces exercices constituent une excellente préparation à toute autre activité. Que vous soyez golfeurs, cyclistes, skieurs, adeptes du tennis, en fait, quel que soit votre sport préféré, les exercices Nadeau sont tout indiqués pour vous y préparer. De nombreux témoignages ont été recueillis à cet effet. Vos performances sportives ne feront que s'accroître. Mais ce qui est encore plus important, c'est que le risque de vous blesser en pratiquant votre sport préféré diminuera considérablement car votre corps sera mieux préparé. Il sera assoupli, dégagé, tonifié et apte à affronter les risques inhérents à toute activité sportive. »

CHAPITRE V

Exercices complémentaires

Fortifier la nuque

La région cervicale est d'une grande vulnérabilité chez la plupart d'entre nous. Pour bien la protéger, il faut entretenir une nuque souple et forte.

Si vous avez un cou raide, essayez ce qui suit. Tenez la nuque comme pour tenir un chaton par la peau du cou. Pincez plusieurs fois les muscles en les laissant glisser sous vos doigts. Continuez ce massage jusqu'à l'épaule. Ensuite, faites des pressions-rotations avec le bout des doigts en insistant avec douceur sur les points douloureux. Ajoutez des pincés-roulés de la peau; il s'agit de soulever légèrement la peau et de la rouler sous les doigts. Terminez par un malaxage avec toute la main. Offrez-vous de plus un petit traitement de faveur; à l'aide d'un séchoir à cheveux, soufflez de l'air chaud tout le long de la nuque et sur les épaules. Vos tensions disparaîtront comme par enchantement.

Voici maintenant quelques exercices importants d'auto-musculation de la nuque et du cou. Faire 5 fois chacun des exercices à un rythme lent.

Croisez les deux mains sur le front. Inspirez puis poussez fortement la tête contre les mains, celles-ci opposent une résistance. Maintenez la pression pendant 5 secondes et relâchez en expirant. La tête ne doit pas bouger pendant cet exercice. (Fig. 28)

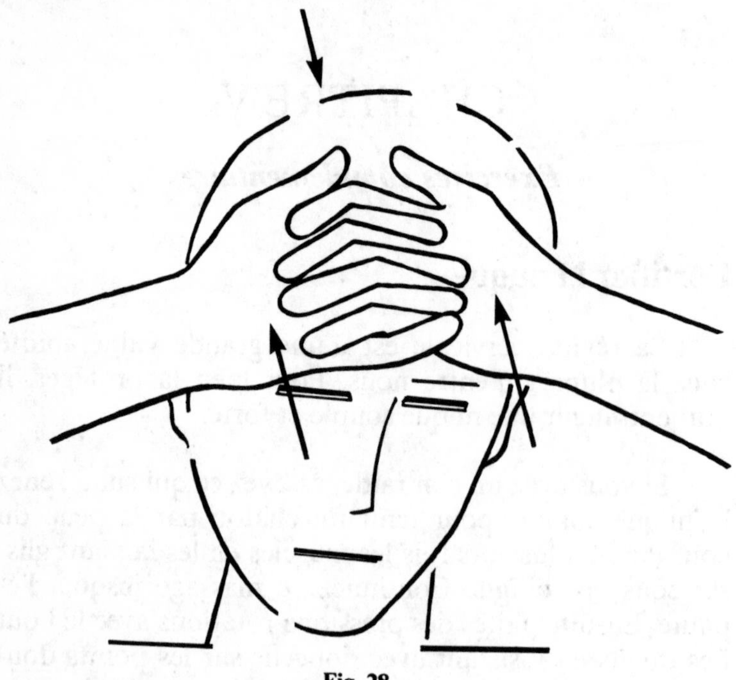

Fig. 28

Croisez les mains derrière la tête. En inspirant, poussez fortement votre tête dans les mains, celles-ci s'opposent à la poussée. Retenez 5 secondes puis relâchez en expirant. La tête ne bouge pas pendant l'exercice. (Fig. 29)

Expirez en inclinant la tête vers l'épaule. La main cherche à relever la tête qui résiste. Retenez 5 secondes et relâchez le mouvement en inspirant. Alternez des deux côtés. (Fig. 30)

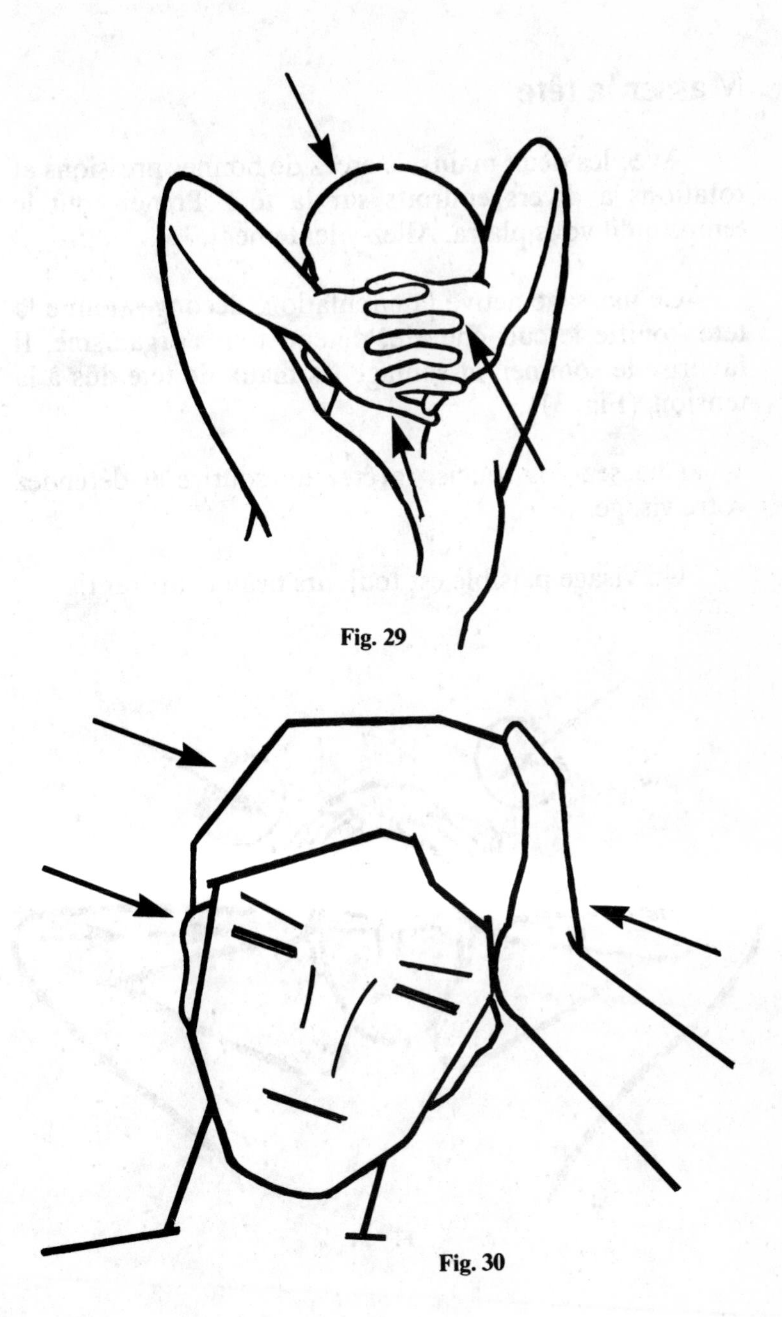

Fig. 29

Fig. 30

Masser la tête

Avec les deux mains, exercez de bonnes pressions et rotations à divers endroits sur la tête. Prenez tout le temps qu'il vous plaira. Allez-y lentement.

Ce massage active la circulation, décongestionne la tête, tonifie le cuir chevelu, détend tout l'organisme. Il favorise le sommeil et soulage les maux de tête dus à la tension. (Fig. 31)

Chassez vos soucis, revêtez un sourire et détendez votre visage.

Un visage paisible est toujours beau et attirant!

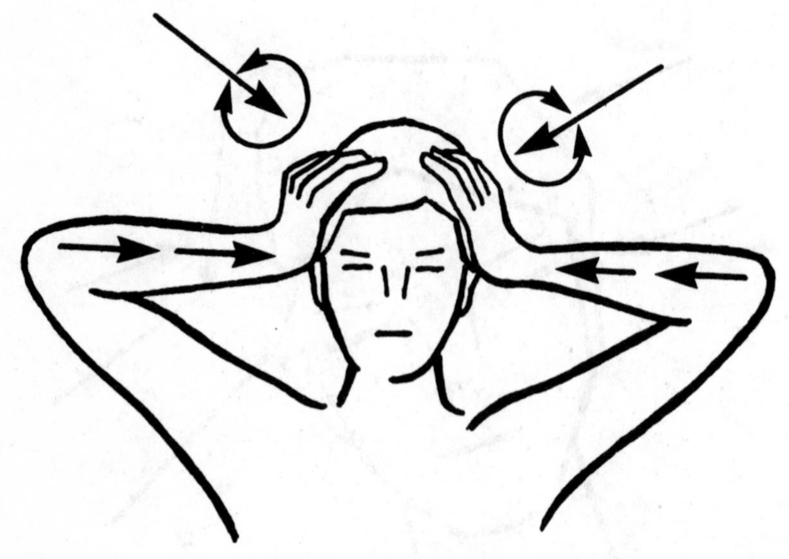

Fig. 31

Enlever la fatigue du dos

Il faut un petit ballon VIDE, de la taille d'un pamplemousse. NE JAMAIS UTILISER UNE BALLE PLEINE. Allongez-vous au sol, jambes pliées, les pieds écartés de la largeur des hanches. Le ballon est placé à la base du sacrum. (Fig. 32) Laissez le ventre mou et permettez aux vertèbres lombaires de descendre lentement vers le plancher. Relâchez toute tension inutile. Laissez agir, le temps d'une minute ou deux. Enlevez le ballon et percevez le nouveau contact du dos avec le sol.

Cet exercice soulage les douleurs lombaires.

Allongez ensuite les jambes et posez le ballon sur la colonne à la hauteur des omoplates. Le haut du dos est soulevé et la tête est renversée vers l'arrière. (Fig. 33) Relâchez bien la nuque. Habituez-vous graduellement à cette pose. Si elle est inconfortable, abstenez-vous de la faire.

Cet exercice procure une détente bienfaisante dans la région des omoplates et enlève le point de fatigue du haut du dos.

Détendre tout le corps

Préparez-vous à vous relaxer. Enlignez votre colonne en poussant les talons le plus loin possible. Soulevez légèrement la tête du sol puis déroulez la nuque lentement sur le plancher. (Fig. 34) Ensuite laissez tout aller... (Fig. 35)

Essayez d'avoir quelqu'un pour vous lire le texte qui suit. Il doit être lu très lentement, avec des pauses fré-

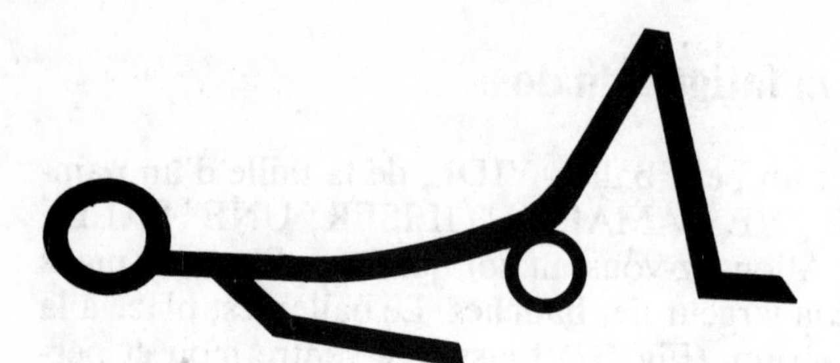

Fig. 32

Fig. 33

Fig. 34

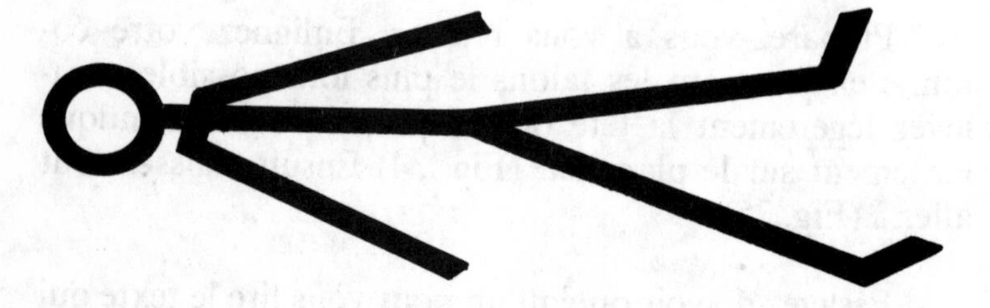

Fig. 35

quentes, afin de vous donner le temps d'assimiler les messages de détente qu'il contient.

"Repose-toi"*

Allongez-vous confortablement sur le dos — les yeux fermés — les bras le long du corps — demeurez immobile — le visage décontracté — le corps relâché — respirez lentement (écoutez votre respiration) soyez calme, de plus en plus calme — laissez-vous aller — oubliez qui vous êtes — oubliez où vous êtes — ayez la sensation que rien n'existe autour de vous — c'est le vide — il n'y a rien à l'exception de vous-même — vous êtes seul — relaxez-vous — respirez lentement, calmement — sentez-vous exister de l'intérieur — dirigez votre pensée dans vos pieds — prenez conscience de la vie qui bat en eux — dites-leur mentalement «repose-toi, repose-toi, repose-toi» — remontez dans vos jambes — voyez comme elles sont lourdes — elles pèsent sous le poids de la fatigue — répétez-leur en le ressentant bien: «repose-toi, repose-toi, repose-toi» — *pause* — imaginez que vos jambes se détachent de votre corps — voyez-les s'éloigner très loin, de plus en plus loin — laissez-les flotter, flotter dans l'espace — dans le vide où tout est calme, calme, calme —

Transportez maintenant votre pensée dans vos mains — ramenez dans vos mains toute la conscience que vous avez de vous-même — comme si c'était la seule partie de votre corps que vous perceviez — laissez vos mains devenir molles — lourdes, très lourdes — relâchez chacun de vos doigts — concentrez-vous sur le bout des doigts — vous ressentirez peut-être un léger picotement — *pause* — un engourdissement qui se propage dans vos mains comme une douce chaleur — *pause* — répétez mentalement: «repose-toi, repose-toi, repose-toi» — remontez dans vos bras jusqu'aux épaules — vos bras sont lourds — très lourds — ils pèsent comme du plomb — ils sont tellement lourds qu'ils se détachent de vos épaules — ils glissent vers l'espace — dans un vide infini — ils flottent dans le cosmos — où réside la paix, paix, paix — *pause* — respirez lentement — *pause* — ramenez doucement votre pensée vers votre abdomen — voyez les viscères qu'il contient — à chaque expiration sentez-les s'affaisser lourdement — redites-leur sur le rythme de votre respiration: «repose-toi, repose-toi, repose-toi» — remontez vers la partie supérieure de votre abdomen, où se trouve votre plexus solaire — c'est lui qui loge parfois tant de crispations — déliez les filets de ce centre nerveux — libérez l'énergie que vous y gardez prisonnière — dites intérieurement, en pensant à des liens qui se relâchent: «repose-toi, repose-toi, repose-toi» — respirez de plus en plus profondément (entendre les respirations) — vos poumons se gonflent d'air et s'affaissent paisiblement — ils rappellent le mouvement des vagues qui montent et qui descendent, bercés par le rythme de votre respiration — dites à vos poumons: «repose-toi, repose-toi, repose-toi» — pensez à votre coeur — son rythme est lent — il est au repos — imaginez une flamme qui brille à l'intérieur de votre coeur — ravivez cette flamme — sentez sa chaleur se répandre dans votre poitrine — «repose-toi, repose-toi, repose-toi» — concentrez-vous sur votre gorge au niveau de la pomme d'Adam — sentez l'air y circuler librement quand vous respirez — *pause* — libérez toute tension, toute angoisse dans cette région — détendez les muscles du cou — «repose-toi, repose-toi, repose-toi» — remontez vers votre visage — imprimez-y la douceur et la sérénité d'un enfant qui dort — «repose-toi, repose-toi, repose-toi» — entrez à l'intérieur de vous-même dans votre cerveau — voyez vos cellules cérébrales comme étant des millions d'étoiles endormies dans le ciel de votre esprit — «repose-toi, repose-toi, repose-toi» — en vous c'est le silence — écoutez ce silence au plus profond de vous-même — *pause* — la paix et la quiétude circulent en vous — vous êtes bien, agréablement bien — ayez l'impression que votre corps devient vaporeux comme un nuage — voyez-le se transformer en un nuage blanc — sentez-vous flotter dans l'espace — vers ce grand univers où le temps s'écoule inlassablement — «repose-toi, repose-toi, repose-toi».

*Ce texte est disponible sur disque ou cassette intitulés «Le sommeil éveillé» par Colette Maher (voir à la fin page 93)

APPENDICE I

Témoignages d'élèves

Voici quelques témoignages d'élèves qui ont pratiqué la Technique Nadeau:

« Depuis de nombreuses années, mes maux de dos me faisaient souffrir terriblement. Je recevais des traitements depuis dix ans, mon cas semblait sans issue. Ce n'est que récemment, suite à la pratique des exercices Nadeau, que mes maux ont complètement disparu. »

« J'avais de violents maux de tête accompagnés de vomissements qui m'obligeaient à m'aliter, tellement ils étaient insupportables. Maintenant, dès que je sens venir une attaque de migraine, je pratique les exercices Nadeau et mon mal disparaît. En ce qui me concerne, ceci tient presque du miracle car ces fréquents maux de tête me causaient de graves problèmes sur le plan du travail et de ma vie sociale. »

« Ayant été victime de la poliomyélite dans mon jeune âge, j'ai toujours ressenti une douleur à la jambe gauche, là où la maladie s'est manifestée. Après deux mois de pratique des exercices Nadeau, ma douleur a complètement disparu et je ressens davantage d'énergie dans ma jambe. Je me considère très chanceuse d'avoir connu cette technique. »

« Je suis bronchitique, asthmatique. Les exercices Nadeau ont contribué à dégager mes poumons. J'ai craché abondamment. J'ai même rejeté par la bouche une grande quantité de pus qui, semble-t-il, provenait d'un abcès pulmonaire. Un véritable nettoyage intérieur s'opère en moi, je respire mieux, je ne suis plus la même personne. »

« Je souffre d'arthrose cervicale. Au début de ma pratique, mes douleurs ont augmenté car je n'étais pas habituée à l'exercice. J'ai ralenti mon rythme et maintenant ma nuque est indolore, elle est plus forte, je la sens se régénérer. »

« Je suis un amateur de ski. Suite aux exercices Nadeau, mes jambes sont plus fortes ainsi que mon dos. Mon endurance est de plus longue durée. Je me sens en meilleure forme. »

« Je ressens une plus grande élasticité de mes muscles, je suis plus souple. Ma peau est devenue ferme et douce. Je vois disparaître graduellement la cellulite et les bourrelets autour de ma taille. J'ai une moins grande propension à prendre des rhumes et des grippes. Il y a disparition de l'oedème dans mes jambes. Je vois une amélioration au galbe des jambes, des seins, un développement de la musculature des fesses. Je résiste mieux à la fatigue et ma circulation sanguine se stabilise. »

« Je suis plus ouvert à la vie, mon moral est meilleur. Je sens un nouvel élan sur le plan sexuel. Je pratique mes exercices avec mon épouse et après nous vivons des moments d'extase qui nous comblent totalement. Nos exercices sont un prélude à l'amour. Il s'est installé en nous une joie, une communication, un bien-être jusque-là insoupçonnés. Je recommande vivement la technique Nadeau à tous les couples. »

« J'enseigne la culture physique aux enfants. Je pratique le judo depuis dix ans. Je suis très sportive et jamais aucune discipline physique que je connaisse ne m'a apporté autant de bien-être que la technique Nadeau. Ce système est d'une telle perfection qu'il devrait être répandu au niveau de toute la population, tout comme le tai-chi en Chine ou le yoga en Inde. »

« Au début de ma pratique de la technique Nadeau, je sentais un énervement inhabituel. Ceci a disparu après quelques semaines. Maintenant je suis plus calme, plus détendu. Je pratique les exercices le soir avant de dormir et je constate qu'ils aident à mon sommeil. De fait, mes problèmes d'insomnie se sont envolés. »

« Mes intestins étaient paresseux. Je devais constamment utiliser des laxatifs. Maintenant que je pratique les exercices Nadeau, mes intestins fonctionnent naturellement tous les jours; je ne souffre plus de constipation. De plus, j'avais beaucoup de difficulté à digérer, mon estomac me causait bien des problèmes. Aujourd'hui ma digestion est parfaite, j'ai du plaisir à manger et non de la crainte comme auparavant. J'ai meilleur appétit. »

« Mes douleurs à la nuque et mes malaises lombaires ont disparu. Mes engourdissements des bras et des mains sont partis. Je me sens moins fatiguée. »

« Suite à une phlébite, je portais de longs bas de soutien depuis cinq ans. Grâce aux exercices Nadeau, ma condition s'est tellement améliorée que mon médecin m'a permis de réduire le port de mes bas. J'en suis ravie. »

« Ces mouvements ont beaucoup aidé à ma digestion. Je souffrais d'aérophagie, le matin je me levais avec des maux de coeur. Depuis que je fais mes exercices régulièrement, l'excès d'air que j'avais dans l'estomac s'évacue. De plus, je n'ai plus de douleurs menstruelles. J'en suis très heureuse. »

« Le cas de monsieur Nadeau me paraît tellement phénoménal que je le compare à certains êtres exceptionnels tout comme le fut Helen Keller. Je recommande sa technique car elle est d'une rare perfection et les résultats qui en découlent sont hautement louables. Si les gens d'aujourd'hui la pratiquaient, les générations futures ignoreraient les méfaits de la vieillesse. »

Un longue liste de témoignages pourrait s'ajouter à celle-ci, tous plus convaincants les uns que les autres.

Les gens qui commencent à pratiquer la Technique Nadeau découvrent souvent un nouveau monde d'intérêts. En même temps que le corps se délie, une ouverture d'esprit s'opère. Par exemple, un couple de gens âgés s'est inscrit à des cours d'alimentation végétarienne ainsi qu'à la méditation. Ils se sont créé des centres d'intérêt dans divers domaines. Ce sont des gens sociables, leur compagnie est agréable. Ce ne sont pas de vieilles personnes ternes qui ne parlent que de leurs maladies et se complaisent à les raconter. Au contraire, ils sont souriants, enjoués, ils ont du plaisir à vivre.

Trop de gens cessent de pratiquer une activité quelconque sous prétexte qu'ils ne sont plus jeunes. Au contraire, le fait de prendre de l'âge est une raison de plus pour s'activer physiquement.

Le Canada a une population qui vieillit rapidement. Plus de 2 000 000 de personnes, soit 10 p. cent des Canadiens sont âgés de 65 ans et plus. Les gens âgés ne devraient pas être considérés globalement comme un groupe improductif à la remorque de ceux qui travaillent. Ils ont le devoir de se maintenir actifs et en santé le plus longtemps possible. Chacun choisit la vitesse à laquelle son corps s'use. Le prochain pas à faire ne serait-il pas de « prendre en mains sa propre santé » au lieu d'en remettre la responsabilité aux autres? Je respecte ceux qui ont vraiment besoin de la collaboration d'autrui mais je m'adresse aux gens qui pourraient s'aider davantage eux-mêmes... et ils sont légion!

La qualité de notre vie dépend de nous.

APPENDICE II

Régénérer son mental

À chaque jour, fortifiez votre «muscle mental». Renforcez-le de bonnes pensées. Aérez-le en laissant sortir la rancoeur, la déception, la dépression. Insufflez-lui le pardon, le courage, l'émerveillement de la vie.

Voici une liste de pensées profondes et quelques proverbes qui serviront à éclairer votre jugement, à éveiller de bons sentiments et à rehausser votre potentiel d'énergie. Tel un homme pense, tel il est dans son coeur et dans son corps.

— On ne tire rien de l'amertume, c'est l'amour qui fait vivre. Un être sans amour marche à côté de sa vie. Il faut «tomber en amour» avec la vie elle-même.

— Il ne faut jamais désespérer mais apprendre à nous maintenir à flot, lors même que tout sombrerait autour de nous.

— La brièveté de la vie donne de la valeur au temps. Perdre son temps à s'apitoyer sur son sort, c'est perdre sa vie.

— Dans un escalier il y a autant de marches ascendantes que descendantes. À nous de savoir si l'on veut monter ou descendre.

— Si on n'a pas ce qu'on aime, il faut aimer ce qu'on a.

— L'amour ne se cultive pas sur un terrain de névroses et de complexes. Pour aimer quelqu'un, il faut savoir s'aimer soi-même.

— Tout désaccord entre tes amis et toi provient de ton impatience.

— Bien des gens doivent la grandeur de leur vie à la grandeur de leurs difficultés.

— Il faut parfois trouver son chemin dans les ténèbres afin d'arriver enfin à la lumière.

— Qui tient les forces intérieures, tient l'univers.

— Ce qui touche à ma paix intérieure, à mes émotions, touche à ma santé.

— Ne prends jamais de décision quand il y a tempête en toi.

— La langue si faible, sans os, peut écraser et assassiner. Mais elle peut aussi faire revivre le plus découragé.

— Les gens heureux ne sont jamais méchants. (proverbe hollandais).

— L'effort qu'on fait pour être heureux n'est jamais perdu. Il y a plus de volonté qu'on ne croit dans le bonheur.

— Si je ne vois que ce qui me manque, je perds de vue tout ce que j'ai.

— Il est plus facile de réprimer un premier désir insensé que de satisfaire tous ceux qui en découleront.

— Quand la chance frappe à leur porte, bien des gens ne font que se plaindre du bruit.

— Si nous pouvions enlever nos craintes exagérées, nous éliminerions la moitié de nos maladies.

— Parfois un seul arbre nous cache la forêt.

— Plus le corps est faible, plus il commande. Plus il est fort, plus il obéit. (Jean-Jacques Rousseau).

— Si vous passez votre temps à tomber, alors passez-le à vous relever. L'important c'est de ne jamais désespérer.

— Les destins conduisent celui qui veut, ils traînent celui qui ne veut pas. (Sénèque).

— Toute tentation que l'on vainc équivaut à une force que l'on s'approprie.

— Certains tentent de noyer leur angoisse dans la drogue, les tranquillisants, l'alcool, hélas, elle sait nager.

— L'homme veut bien diriger l'univers mais il ne sait pas diriger sa propre personne.

— Il n'existe rien de moins intéressant qu'un être qui ne s'intéresse à rien.

— Au fond de soi, en cherchant bien, on trouve toujours une raison d'espérer.

— Qui trop s'appuie sur son arbre généalogique a bien du mal à sortir du bois.

— L'envieux ressemble au chien qui jappe après les oiseaux dans les airs. (Félix Leclerc).

— La chance? C'est tout simplement du courage et l'art de savoir mille fois recommencer.

— Joindre les mains c'est beau, les ouvrir c'est mieux.

— Le bonheur est un parfum qu'on ne peut verser sur les autres sans qu'on s'en imprègne un peu soi-même. (Emerson).

— Sème la confiance pour donner du soleil à ceux qui n'ont que la nuit.

— Les inquiétudes sont comme des nouveau-nés, elles ne survivent que si on les nourrit.

— Il n'existe pas de faute si grande qu'on ne puisse pardonner.

— Ne cherchons pas à dominer les autres mais à les libérer.

— Le coeur ne s'use pas quand il se donne, il s'use quand on le garde pour soi.

— Si vous deviez un jour vous transformer vous-même, faites-le un peu chaque jour. Résolvez un problème et vous en éloignez cent. (Confucius).

APPENDICE III

Conseils pratiques suggérés par MONSIEUR HENRI NADEAU

Vitamines «bon marché»

Le froid glacial a la propriété de conserver les vitamines indéfiniment.

Avec un extracteur à jus, il s'agit d'extraire le jus de fruits et de légumes (à l'état le plus frais possible). Faites congeler immédiatement dans des cubes à glace et emmagasinez dans des sacs en plastique que vous placez au congélateur.

On prendra un cube de jus de fruits ou de légumes congelés dans un verre d'eau tiède (un cube avant chaque repas).

Sinusite

Achetez à la pharmacie une bouteille de «teinture de Benjoin».

Dans une tasse d'eau bouillante, mettez une cuillérée à thé de teinture de Benjoin. Placez au-dessus un cornet et respirez les vapeurs pendant 10 minutes. Le traitement doit se poursuivre pendant dix jours consécutifs. IMPORTANT: ne jamais dépasser 10 jours.

Glande thyroide

Une des fonctions les plus importantes de cette glande est la combustion des graisses. Son mauvais fonctionnement peut entraîner l'obésité chez certaines personnes. L'iodure de potassium, sous forme de varech (comprimés), pourrait être utile pour assurer son bon fonctionnement.

Protéines

Quelle que soit leur origine — végétale ou animale — le maximum requis par jour est de 60 à 100 grammes pour reconditionner les cellules usées. Tout aliment, même de qualité supérieure, pris en excès devient un poison pour l'organisme.

Le corps humain n'accumule pas les protéines. L'excès sera transformé par le foie, au prix d'un grand surmenage, d'une dépense d'énergie disproportionnée, et sera éliminé par les reins, lesquels souffriront de ce surcroît de travail.

L'excès d'alcalin est dû à la non-transformation des déchets azotés (protéines) par suite de la défaillance du foie. Résultat: intoxicatioin des cellules.

Pour une peau de satin

Trois fois la semaine, lavez votre visage avec du sel fin (sel de table). Saupoudrez une débarbouillette mouillée et nettoyez l'épiderme soigneusement. Rincez à l'eau tiède. En peu de temps, votre peau sera satinée. Par contre, si elle est trop sensible, cessez cette pratique.

Contre la fatigue

Une cuillère à thé de vinaigre de cidre dans une tasse d'eau tiède. (À prendre d'un seul coup.)

Contre les migraines

Versez un peu de vinaigre de cidre et d'eau dans une casserole en granit ou en acier inoxydable. (Ne jamais utiliser de casserole d'aluminium.) Amenez à ébullition. Penchez-vous sur le chaudron, inhalez les vapeurs. Au bout d'une demi-heure votre migraine disparaîtra.

Allergies — Rhume des foins — Asthme

Pendant la durée du traitement, prendre 100 milligrammes de vitamine «C» à chaque repas, plus 50 000 unités de vitamine «A» sous forme de comprimés (150 000 unités de vitamine «A» par jour), jusqu'à disparition complète de la maladie.

Pour l'**asthme,** ajouter des quantités suffisantes de calcium et de vitamine «E».

Ne jamais oublier que pour l'assimilation du calcium, le magnésium et la vitamine «D» sont indispensables.

Varices

La circulation du sang dans les jambes est améliorée par la contraction musculaire. La Technique Nadeau est un des meilleurs remèdes contre les varices. De plus, il est recommandé de dormir en surélevant le pied du lit avec des blocs de 8 à 10 centimètres. Cela soulage les jambes et ramène en douceur le sang vers la partie supérieure du corps: à éviter chez les gens qui souffrent d'hypertension artérielle.

Détente

Pour vous reposer et refaire le plein d'énergie, écoutez du Mozart ou des chants grégoriens. Ces deux genres de musique régénèrent les cellules du cerveau.

APPENDICE IV

Pourquoi préférer la Technique Nadeau à tout autre mode d'exercice?

Voici dix bonnes raisons de le faire...

Cette technique:

1. Comporte uniquement trois mouvements et ils servent pour la vie!
2. N'exige aucun déplacement. Se pratique chez vous en toute saison, sans aucun accessoire.
3. Fait travailler le corps ENTIER de la tête aux pieds. C'est un exercice COMPLET en lui-même.
4. Convient aux gens de tous âges, ne comporte aucune contre-indication majeure. Forge la volonté, diminue le stress, l'angoisse.
5. «S'ajuste» à votre condition physique. Se pratique aussi bien par les gens en moins bonne santé que par les bien portants; c'est le rythme de l'exercice qui diffère.
6. Régénère la vue, l'ouie. Développe la mémoire. Chasse la fatigue.
7. Permet une mobilité exceptionnelle de la colonne vertébrale. Élimine bien des maux de dos. Redonne la souplesse à toutes les articulations.
8. Imprime un massage profond à l'abdomen. Soulage ainsi certains troubles du foie, de l'estomac, de l'intestin, etc.
9. Améliore la circulation sanguine, fortifie le coeur et les vaisseaux. Raffermit la musculature.
10. Est reconnue par ses adeptes comme hautement BÉNÉFIQUE - SIMPLE - AGRÉABLE. C'est un exercice UNIVERSEL. Aucun autre système n'offre autant d'avantages.

Deux règles sont de rigueur pour obtenir des effets durables: 1. Un entraînement lent et progressif, selon l'état de santé de chacun. 2. La régularité absolue d'une pratique quotidienne.

S'il y a eu arrêt prolongé, recommencez à zéro. La technique acquise par les exercices contenus dans ce livre vous permettra de vous maintenir à votre meilleur niveau de santé. Il n'est jamais trop tard pour commencer. Cela vaut toujours la peine de travailler à être en forme et à se rajeunir de dix ou vingt ans. Si ces exercices sont appliqués comme il est indiqué, ils n'ont pas fini de surprendre.

Qui peut bénéficier des immenses bienfaits qu'apporte la Technique Nadeau? Uniquement celui qui la pratique méthodiquement et régulièrement.

Qui peut prouver que le gâteau est vraiment excellent? Uniquement celui qui le mange en le dégustant.

Vous aussi avez droit à une part du gâteau.

CONCLUSION

par monsieur Henri Nadeau

Ce livre que vous venez de lire est un passeport pour une vie meilleure. Cette vie exigera de vous un certain courage, celui de faire des choses nouvelles, d'accueillir des idées nouvelles qui vous demanderont une bonne dose de confiance, d'enthousiasme et la capacité d'accepter de nouveaux points de vue révolutionnaires.

Si je m'en tiens à ce qui est écrit dans la «Genèse»: «Tu n'es que chair et tu vivras cent vingt ans», il faut en conclure qu'à soixante ans, l'homme n'a derrière lui que la moitié de son existence naturelle.

Après avoir étudié à fond la biologie, je puis prouver qu'on peut refaire sa santé à n'importe quel âge.

Pour cela, il suffit de vingt minutes d'exercices intensifs par jour et une dose de courage équivalente.

Ces exercices, complets en eux-mêmes, permettent de désintoxiquer tout le corps par un processus d'oxygénation.

D'après des tests effectués au Département d'éducation physique de l'Université de Montréal, 20 minutes d'exercices intensifs tous les jours permettent au corps de se rebâtir en trois ans.

«Aime Dieu et aime ton prochain comme **«toi-même»**» c'est le premier des commandements.

Il faut donc commencer par «s'aimer», par rebâtir le corps que Dieu nous a donné. Ce corps, Il l'a créé aussi parfait que possible, il faut donc le maintenir en santé.

Il est intéressant de constater que lorsque l'on a acquis une santé parfaite, il nous faut la communiquer aux autres. Sans cela, il s'en dégage un ennui **«à en tomber malade».**

«Bon voyage» pour une vie meilleure.

Monsieur Nadeau a prouvé par sa technique qu'on pouvait «rebâtir un corps» même à 60 ans. Il a expérimenté sa méthode pendant douze ans avant de l'enseigner à des groupes. Les résultats furent spectaculaires; une multitude de gens ont été soulagés de maux dont ils souffraient depuis de nombreuses années. Ce mode d'exercices EXCEPTIONNEL est accessible à tous. Il a aidé tant de gens, pourquoi pas vous?

Il n'y a que trois mouvements à apprendre et ils servent pour la vie!

L'auteur, Colette Maher, dirige sa propre école de yoga depuis 1973. Plusieurs disciplines y sont enseignées dont: yoga — anti-stress — méditation — baladi — alimentation végétarienne — rebirth — réflexologie — shiatsu et Technique Nadeau.

Colette Maher a participé pendant plusieurs années à des émissions télévisées et elle a collaboré avec la presse écrite afin de propager les bienfaits de la détente et de diverses disciplines physiques. Elle est l'auteur d'un livre sur le yoga et de cassettes de relaxation destinées à éliminer l'insomnie et le stress.

Colette Maher est heureuse de vous faire connaître un mode d'exercices NOUVEAU et UNIQUE: la TECHNIQUE NADEAU.

Articles de santé disponibles au Centre Colette Maher

1. **SANDALES-MASSAGE**
   (utiles pour maux de jambes et autres)

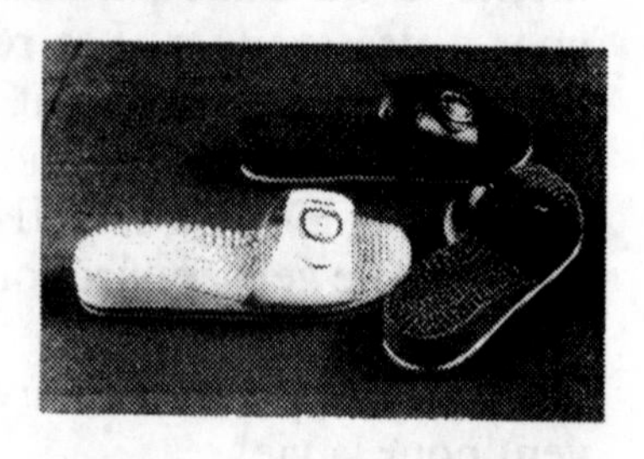

2. **LANIÈRES-MASSAGE**
   (utiles pour maux de dos)

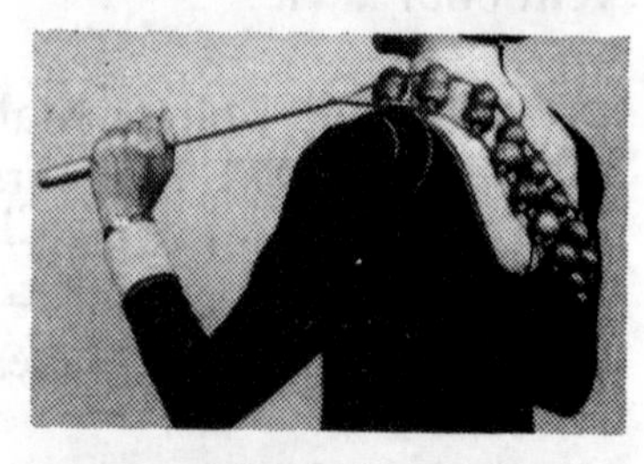

3. **CASSETTES DE RELAXATION**
   «Le sommeil éveillé»
   «Détente anti-stress»

4. **CASSETTE VIDÉO VHS ou BETA**
   sur la Technique Nadeau, d'une durée d'une heure, utile pour la pratique des exercices à domicile.

5. **BANC DE MÉDITATION ZEN**

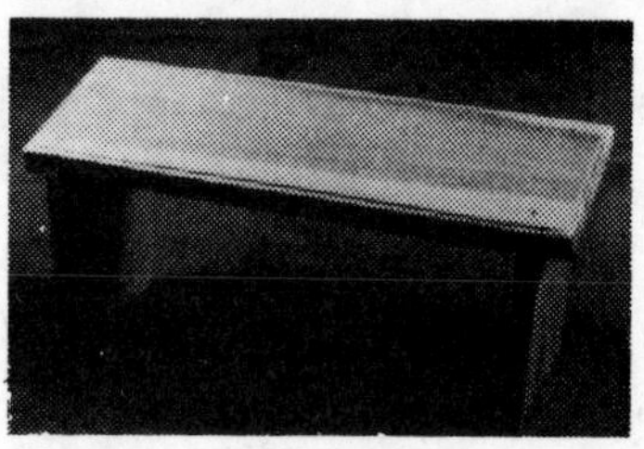

6. **BANC «INVERSION DE GRAVITÉ»**
(utile pour maux de nuque; amoindrit les méfaits de la gravité, régénère le cerveau et tout l'organisme)

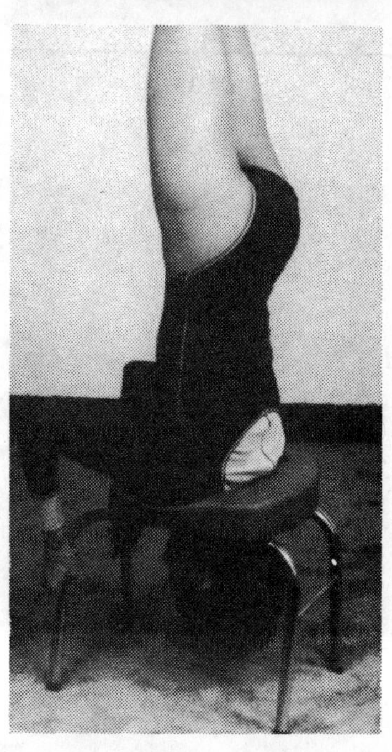

LA TECHNIQUE NADEAU EST ENSEIGNÉE AU CENTRE DE YOGA COLETTE MAHER

9924 boul. St-Laurent
Montréal, Québec, H3L 2N7
Téléphone: 387-7221

Vous pouvez y obtenir une formation personnelle et une formation d'enseignant (e).

IMPRIMERIE
L'ÉCLAIREUR
BEAUCEVILLE
9321